REPÈRES
PRATIQUES
NATHAN

Les institutions de la France

Bernard de Gunten - Arlette Martin - Mauricette Niogret

NATHAN

© Éditions Nathan 1994 - 9, rue Méchain, 75014 Paris
ISBN 2.09.176792.1

MODE D'EMPLOI

Divisé en six parties, l'ouvrage s'organise par doubles pages.
Chaque double page fait le point sur une question et,
en général, fonctionne de la façon suivante :

Pages de gauche

Un repérage :
les six parties
de l'ouvrage.

Quelques lignes
présentent le sujet
de la double page.

Un titre : il annonce
le sujet de
la double page.

Pages de droite

La page de droite : elle
développe un point particulier,
elle illustre une notion ou une
explication de la page de
gauche.

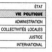

ÉTAT
VIE POLITIQUE
ADMINISTRATION
COLLECTIVITÉS LOCALES
JUSTICE
INTERNATIONAL

Comment est votée une loi ?

**Le vote de la loi se fait selon un mécanisme complexe. Le texte
législatif doit être examiné successivement par les deux assemblées car c'est
un texte identique qui doit être adopté. Le pouvoir législatif
constitue la part importante du travail de l'Assemblée nationale
et du Sénat.**

L'initiative et le dépôt du texte
Elle appartient au Premier ministre, au nom du gouvernement, c'est alors
un projet de loi ; à chaque député et à chaque sénateur, c'est alors une proposition de loi.
Le projet de loi ou la proposition est déposé sur le bureau de l'Assemblée
nationale [p. 42] ou du Sénat [p. 44]. Le projet de loi des finances est soumis
d'abord à l'Assemblée nationale.

L'examen par une commission
Le texte est alors examiné par l'une des six commissions permanentes
[p. 46] de l'assemblée saisie ou par une commission spéciale créée à cet
effet. La commission désigne un rapporteur.

L'inscription à l'ordre du jour
La conférence des présidents [p. 46] fixe l'ordre du jour en tenant compte
des priorités fixées par le gouvernement.
La discussion s'ouvre par l'intervention du rapporteur qui présente le
texte et les conclusions de la commission. Ensuite les orateurs inscrits
donnent l'avis de leur groupe politique [p. 46] sur le texte. Commence
ensuite la discussion par articles. Le texte initial peut subir des modifications appelées amendements.

Le vote
Pour éviter les amendements, le gouvernement peut recourir à la procédure du « vote bloqué ». Il oblige l'assemblée saisie à adopter le texte tel
qu'il est ou à le repousser sans pouvoir le modifier. Il peut engager sa responsabilité à propos d'un projet de loi.
Un texte est voté quand il est adopté en termes identiques par l'Assemblée
nationale ou le Sénat.

La promulgation
Quand la loi est votée, le président de la République [p. 34] la signe et la
date, dans un délai de quinze jours : c'est la promulgation. Pendant ce
délai, le président peut demander au Parlement une nouvelle délibération
de la loi. La loi peut être soumise au Conseil constitutionnel [p. 56] à la
demande du président de la République, du Premier ministre, du président
de chaque assemblée, ou de soixante députés ou sénateurs.

48

LA NAVETTE PARLEMENTAIRE

Pour être adopté définitivement, un
texte législatif doit être examiné suc-
cessivement par les deux assemblées. Ces lectures se poursuivront
jusqu'à l'adoption d'un texte identique.

■ **Situation 1**

L'Assemblée nationale adopte le texte
en première lecture.
Le texte est examiné par le Sénat qui
l'adopte dans les mêmes termes.
La procédure est terminée, la loi est
votée.

■ **Situation 2**

L'Assemblée nationale examine le
texte en première lecture.
Le Sénat modifie le texte transmis.
Le texte retourne à l'Assemblée
nationale. C'est le début du va-et-
vient entre les deux assemblées
qu'on appelle « navette parlementaire ».
Si, après deux lectures dans chaque
assemblée, le texte est adopté en
termes identiques, la loi est votée.

■ **Situation 3**

nouveau texte

navette

Après deux lectures dans chaque
assemblée, il est possible que le
désaccord persiste. Le Premier ministre peut demander la réunion d'une
« commission mixte paritaire » formée
de sept députés et de sept sénateurs.
Cette commission élabore un nouveau
texte soumis à chaque assemblée. Si
ce nouveau texte est voté par les deux
chambres, la loi est adoptée, sinon le
Premier ministre demande aux députés de trancher.

Le Journal Officiel
C'est dans le *Journal officiel* que sont
publiés les textes de lois et des décrets.
Une loi ne peut être appliquée que
lorsque les décrets d'application sont
parus au *Journal officiel*. Avant cette
parution, même votée par le Parlement,
la loi ne peut être appliquée. On peut
consulter le *Journal officiel* à la sous-
préfecture, on peut également s'y abon-
ner.

49

Les sous-titres :
d'un seul coup
d'œil on repère
les grands points
du sujet.

Le renvoi à la
définition d'un mot,
lorsque ce mot,
cité dans le texte,
présente une difficulté.

Une précision,
une anecdote ou un détail
inattendu qui concerne
le sujet exposé
sur la double page.

ÉTAT

VIE POLITIQUE

ADMINISTRATION

COLLECTIVITÉS LOCALES

JUSTICE

INTERNATIONAL

Qu'est-ce qu'un État ?

« Chef d'État », « conflit entre États », « État souverain », autant d'expressions couramment employées. Trois conditions doivent être réunies pour assurer l'existence d'un État : une nation, un territoire, un pouvoir politique. Un État doit être reconnu par la communauté internationale.

Une nation

On appelle nation un peuple lié par une histoire commune et parlant généralement la même langue. La nation est donc un ensemble humain plus ou moins homogène, car il existe des différences de dialectes et de croyances.

Un territoire

Un territoire est limité par des frontières : un peuple sans territoire n'a pas d'existence étatique. Ce territoire peut être d'un seul bloc ou morcelé. La France possède des départements d'outre-mer [*p. 106*] (Martinique, Guyane, Guadeloupe, Réunion, Saint-Pierre-et-Miquelon) et des territoires d'outre-mer (Nouvelle-Calédonie, Wallis et Futuna, Polynésie française, Mayotte).

Un pouvoir politique

La nation doit être organisée pour être reconnue. Elle se donne des lois, se choisit des représentants qui parlent au nom de la communauté humaine.

Quels sont les pouvoirs de l'État ?

Il est d'usage, depuis le XVIIIe siècle, de mettre en évidence trois pouvoirs qui sont indépendants les uns des autres. C'est le principe de la séparation des pouvoirs :
- le pouvoir législatif fait les lois ;
- le pouvoir judiciaire fait respecter les lois ;
- le pouvoir exécutif fait appliquer les lois.

État fédéral ou État unitaire

Il existe dans le monde un peu plus de 180 États. On peut schématiquement les classer en deux catégories selon la structure qu'ils se sont choisie : l'État est soit fédéral, soit unitaire.

Un État a son nom

son drapeau,
sa devise (Dieu et mon droit pour la Grande-Bretagne),
sa fête nationale (14 juillet pour la France),
son hymne (La Brabançonne en Belgique),
sa ou ses langues officielles,
et parfois un emblème héraldique (le coq gaulois).

ÉTAT FÉDÉRAL OU ÉTAT UNITAIRE ?

■ L'État fédéral

En général, les États fédéraux sont des États à grande superficie où cohabitent parfois plusieurs races ou plusieurs langues.

Dans l'État fédéral, il y a partage de responsabilités entre les États membres et le pouvoir fédéral.

Les États-Unis forment aujourd'hui une fédération de cinquante États. Le gouvernement de Washington assure la défense, les relations internationales, la monnaie. Chacun des cinquante États possède sa Constitution, deux chambres et un gouverneur. Leur autonomie est grande en ce qui concerne la justice (la peine de mort), le système scolaire.

La République fédérale d'Allemagne comprend, depuis la réunification en octobre 1990, l'ex-RFA et l'ex-RDA. Elle se compose de seize États ou *Länder*. La politique étrangère, la monnaie, le système judiciaire sont du domaine de la Fédération.

Les *Länder* assurent sur leur territoire l'enseignement, la police, le maintien de l'ordre et l'application des lois fédérales.

La Suisse ou Confédération helvétique est un État fédéral formé de cantons ayant chacun leur Constitution. Les autorités fédérales assurent la sécurité, les affaires étrangères, la monnaie et le droit. On parle en Suisse quatre langues officielles : l'allemand, le français, l'italien et le romanche.

■ L'État unitaire

Un État est dit unitaire lorsqu'on n'y trouve qu'un seul centre d'impulsion politique. Les citoyens de l'État unitaire obéissent à une seule et même autorité.

La France est un État unitaire car les lois et le système judiciaire sont les mêmes sur tout le territoire.

La Chine, selon sa Constitution, est un « État unifié multinational », c'est-à-dire un État unitaire quoique composé de provinces.

■ Un exemple de décentralisation au profit des régions

La Belgique comprend trois communautés (française, flamande et germanophone) qui règlent l'enseignement, la santé, les affaires culturelles et trois régions (wallonne, flamande, bruxelloise) qui s'occupent des matières régionalistes comme l'environnement, le logement, l'économie et l'emploi.

La Belgique a un drapeau national (noir, jaune et rouge) mais aussi un drapeau par communauté : le lion noir sur fond jaune avec langue et griffes rouges pour la communauté flamande, le coq rouge sur fond jaune pour la communauté française et le lion rouge surmonté d'une couronne sur fond blanc pour la communauté germanophone.

L'État, c'est moi

« L'État, c'est moi » est un mot attribué à Louis XIV. À l'âge de 17 ans, il aurait prononcé ces paroles lors d'une séance du Parlement. Une autre tradition prétend qu'il aurait dit cela en Conseil des ministres en 1661, après la mort de Mazarin. Vraie ou fausse, cette formule est citée comme devise de l'absolutisme royal sous l'Ancien Régime.

ÉTAT
VIE POLITIQUE
ADMINISTRATION
COLLECTIVITÉS LOCALES
JUSTICE
INTERNATIONAL

L'organisation politique de l'État

La participation, plus ou moins grande, de chaque citoyen dans le choix de ses dirigeants permet de distinguer les différents régimes politiques les uns des autres.

Qui dirige l'État ? Monarchie ou république ?

La monarchie est le pouvoir exercé par un seul (le roi), il se transmet de façon héréditaire. En république (*res publica* : la chose publique), le pouvoir est la « chose » de tous, il y a des élections.

Actuellement certains monarques ont moins de pouvoirs, en Grande-Bretagne ou en Suède, par exemple, que certains présidents de la République, en France ou aux États-Unis.

Quel est le rôle du citoyen ? Dictature ou démocratie ?

Le régime dépend des possibilités réelles de participation ou d'intervention des citoyens.

La dictature : les citoyens ne participent pas à l'élaboration des décisions et ne peuvent contester. Il n'y a pas d'opposition qui puisse s'exprimer, la liberté d'expression est restreinte. Le pouvoir s'appuie sur une police qui applique aveuglément ses décisions et procède à des arrestations arbitraires. Le plus souvent la dictature maintient son pouvoir par la force.

La démocratie : les citoyens participent à l'élaboration des décisions, soit directement, soit par leurs élus. La démocratie libérale privilégie la liberté des individus et leur participation au pouvoir (plusieurs partis, élections [*p. 23*]). Dans la démocratie marxiste [*p. 16*] le poids de la société, dans son intérêt collectif, est le plus fort. Les libertés individuelles sont limitées. Il n'y a qu'un seul parti. La démocratie marxiste, comme la dictature, sont des régimes totalitaires.

Comment les citoyens participent-ils ?

Dans une démocratie libérale, chaque citoyen peut faire connaître son opinion, exercer son influence pour les choix importants de la nation, faire respecter les libertés publiques et désigner les gouvernants. La participation des citoyens à l'exercice du pouvoir s'exerce par un droit de vote à des élections libres et régulières. Le choix du mode des élections a une influence très grande sur la vie politique d'un État et sur les rapports entre les élus et les citoyens. Le vote est un suffrage universel lorsque le droit d'exprimer sa volonté n'est pas réduit par des conditions de fortune, de sexe, de capacité, d'hérédité, mais il peut comporter des exclusions dues à l'âge ou l'indignité. Le suffrage est restreint lorsque le droit de vote est réservé à certains citoyens et soumis à certaines conditions.

POUR QU'UNE DÉMOCRATIE EXISTE

Tout le monde doit avoir le droit de voter. Seules conditions imposées : l'âge et la nationalité. En France, le suffrage universel est, pour les hommes, une réalité depuis 1848, pour les femmes depuis 1944.

Plusieurs partis doivent pouvoir exposer librement leurs conceptions et leurs programmes. Pour permettre au citoyen de choisir, ces partis doivent avoir accès à tous les moyens de communication : presse, radio, télévision…

Le citoyen doit pouvoir choisir librement, c'est-à-dire qu'il ne doit pas subir de pression de la part du gouvernement.

L'opposition doit pouvoir s'organiser, par exemple dans des assemblées. Elle doit pouvoir disposer des mêmes moyens d'information que la majorité.

Le vote doit être secret. En France, les bulletins de vote doivent obligatoirement être imprimés sur du papier blanc et mis sous enveloppe, par chaque électeur, dans le secret de l'isoloir. Il y a un isoloir pour 300 inscrits.

ÉTAT

VIE POLITIQUE

ADMINISTRATION

COLLECTIVITÉS LOCALES

JUSTICE

INTERNATIONAL

L'État et les droits de l'homme

La Déclaration des droits de l'homme et du citoyen proclame en France, en 1789, les droits de l'homme libre et constitue une charte des libertés.

▅▅▅▅ Le contexte historique de la Déclaration des droits de l'homme et du citoyen

Le 5 mai 1789 : Louis XVI convoque les États généraux.

Le 20 juin 1789 : lors du Serment du Jeu de Paume, les députés du tiers état se proclament Assemblée constituante.

Le 14 juillet : le peuple de Paris prend la Bastille.

Le 4 août 1789 : l'abolition des privilèges ébranle tout l'Ancien Régime.

Le 26 août 1789 : l'Assemblée constituante vote la Déclaration des droits de l'homme et du citoyen.

▅▅▅▅ Le contenu de la Déclaration des droits de l'homme et du citoyen

Ce texte reprend les grandes idées des philosophes du XVIIIᵉ siècle, il énumère les droits essentiels de tout être humain [p. 10] :

- la qualité d'homme libre ;
- le droit à la sûreté de la personne ;
- l'égalité en droits ;
- la liberté de pensée et de culte ;
- la liberté d'expression ;
- la liberté d'accéder à tous les emplois.

Le contenu de la Déclaration des droits de l'homme et du citoyen n'a pas été immédiatement suivi d'effet, mais il a posé les principes auxquels nos constitutions modernes se réfèrent encore :

- le principe de la liberté individuelle [p. 10] : un individu ne peut être arrêté qu'en vertu d'une loi existante ;
- le principe de l'égalité devant la loi et devant l'impôt ;
- le principe de la souveraineté nationale : la nation est souveraine, c'est elle et non Dieu qui donne son pouvoir au roi. Elle a le droit de demander des comptes ;
- la séparation des pouvoirs : les trois pouvoirs, exécutif, législatif et judiciaire [p. 4], ne doivent pas être concentrés dans les mêmes mains ;
- le droit de propriété : il est reconnu comme un « droit inviolable et sacré ».

▅▅▅▅ La Déclaration des droits de l'homme de 1948

Universelle, elle se veut un idéal, un but vers lequel tous les États devraient tendre (voir page de droite).

LA DÉCLARATION UNIVERSELLE DES DROITS DE L'HOMME

■ Le contexte historique de la Déclaration universelle

Pour souligner l'importance historique de la Déclaration des droits de l'homme et du citoyen de 1789, les nations membres de l'ONU décidèrent de tenir exceptionnellement leur assemblée générale à Paris, pour y discuter et y voter la Déclaration universelle des droits de l'homme.

Le 10 décembre 1948 était adopté un texte d'une portée universelle, c'est-à-dire qui concerne tous les hommes sans distinction.

Cette déclaration intervient après la Seconde Guerre mondiale qui a vu les droits de l'homme bafoués.

La Déclaration universelle des droits de l'homme est une « résolution ». Juridiquement, elle n'a qu'une force morale.

Pour donner une forme juridique obligatoire, elle est complétée par deux pactes internationaux en 1976 :
- le pacte international relatif aux droits économiques et culturels ;
- le pacte international relatif aux droits civils et politiques.

■ Le contenu de la Déclaration universelle

La Déclaration universelle des droits de l'homme se compose d'un préambule et de trente articles.

Les droits économiques et sociaux parmi lesquels figurent :
- le droit au travail (art. 23) ;
- le droit au repos (art. 24) ;
- le droit à un niveau de vie suffisant (art. 25) ;
- le droit à la sécurité en cas de maladie, invalidité… (art. 25).

La protection internationale des droits : selon l'article 28, « toute personne a droit à ce que règne, sur le plan social et sur le plan international, un ordre tel que les droits et libertés énoncés dans la présente Déclaration puissent y trouver plein effet ».

Les droits et les devoirs : la notion de droit est accompagnée d'une notion importante, celle de devoir envers la communauté.

Le rôle de l'éducation : l'enseignement et l'éducation sont présentés dans le préambule comme les instruments nécessaires du progrès.

La Convention des droits de l'enfant

Ratifiée par vingt-deux États, dont la France en 1990, cette Convention aborde, entre autres, les dix points suivants.

1. Le droit à l'égalité.
2. Le droit à une protection spéciale pour un développement dans des conditions normales.
3. Le droit à un nom et à une nationalité.
4. Le droit à une nutrition adéquate, à un logement et à des soins de santé.
5. Le droit à des soins particuliers en cas de handicap.
6. Le droit à l'amour, à la compréhension.
7. Le droit à l'éducation, au jeu et aux loisirs.
8. Le droit à être parmi les premiers secourus en cas de désastres.
9. Le droit à la protection contre la cruauté et l'exploitation.
10. Le droit d'être élevé dans un esprit de fraternité, de paix et de tolérance.

ÉTAT

VIE POLITIQUE

ADMINISTRATION

COLLECTIVITÉS LOCALES

JUSTICE

INTERNATIONAL

L'État et la liberté

Les libertés accordées à l'individu, ou libertés publiques, donnent à l'homme la possibilité d'agir sans contrainte dans les limites de la loi. On peut distinguer trois grandes catégories : les libertés individuelles, les libertés politiques, les libertés économiques et sociales.

Les libertés individuelles

☐ La sûreté : elle protège contre des arrestations arbitraires. La loi délimite le permis et l'interdit. La personne soupçonnée doit avoir toutes les garanties pour sa défense.

☐ La liberté d'aller et de venir : c'est le droit de se déplacer et de choisir son domicile.

☐ Le respect de la vie privée : le domicile est inviolable, on ne peut y pénétrer sans autorisation ; il est interdit de poser des écoutes, de photographier pour un usage commercial.

☐ Le secret de la correspondance : nul n'a le droit d'ouvrir les lettres qui ne lui sont pas adressées.

☐ Le secret professionnel : ceux qui ont recueilli des informations de par leur profession (médecins, magistrats, experts-comptables...) n'ont pas à les divulguer.

Les trois catégories de libertés publiques

Les libertés individuelles	Les libertés politiques	Les libertés économiques et sociales
La sûreté de la personne	Le droit de vote	Le droit syndical
La libre circulation	La liberté de réunion	Le droit de grève
Le choix du domicile	La liberté d'association	Le droit au travail
Le choix de propriété	La liberté d'expression	et au choix d'un
liberté d'opinion	Le droit d'appartenir ou	emploi
La liberté religieuse	ou de ne pas appartenir	Le droit à la
La liberté d'enseignement	à un parti politique	protection sociale
Le secret de la correspondance		
Le secret professionnel		

Les voies de recours

Celui qui s'estime victime de l'État français à propos d'une violation des droits et libertés garantis par la Communauté européenne des droits de l'homme peut, depuis 1981, saisir la Commission européenne, après être allé en cassation.

L'État pourrait être condamné à payer des indemnités.

Adresse : Conseil de l'Europe. 67006 Strasbourg.

OÙ S'ARRÊTENT LES LIBERTÉS ?

La loi garantit le principe selon lequel la liberté individuelle s'arrête où commence celle des autres.

■ Pénétrer dans la propriété d'autrui constitue un délit. Seule l'autorité judiciaire peut perquisitionner pour les besoins d'une enquête. Elle doit être munie d'un mandat, sauf en cas de flagrant délit ou d'intervention des douanes. Par ailleurs, on ne peut pénétrer chez une personne, pour l'arrêter, entre 21 heures et 6 heures.

■ Signaler son changement de domicile est obligatoire pour les propriétaires d'une voiture, les condamnés avec sursis ou mise à l'épreuve, les hommes soumis au service militaire ou réservistes.

■ Faire valoir son droit de réponse est possible en cas de mise en cause par la presse, une chaîne de radio ou de télévision.

■ Respecter le secret professionnel concerne les professions de santé, les travailleurs sociaux, les personnels de justice, de l'administration fiscale, les ministres du culte. Cependant le secret peut être levé dans l'intérêt de l'État ou de la justice.

■ Se défendre contre la publication d'une photographie privée est possible mais pas en cas de participation à un événement public.

■ Poser des écoutes téléphoniques est interdit aux simples citoyens.

■ Refuser de vendre à des personnes d'une nation, d'une ethnie, d'une religion déterminées est puni par la loi.

■ Injurier ou diffamer en matière raciale constitue un délit.

■ La liberté de la presse est garantie par la Constitution et reconnaît le droit de publier ce que l'on veut. Cependant la loi réprime le délit de « fausses nouvelles » qui pourraient troubler l'ordre public. Est aussi considéré comme délit la diffamation, l'injure, la provocation à la haine ou à la discrimination raciale. Un texte punit « l'offense au Président de la République » et aux chefs d'État étrangers et aux diplomates.
La charte du journaliste fixe des règles de déontologie :
- un journaliste prend la responsabilité de ses écrits ;
- il doit s'abstenir de calomnier, de plagier, d'utiliser des moyens déloyaux pour s'informer ou de falsifier des documents.

La CNIL

La CNIL ou Commission nationale de l'informatique et des libertés est une autorité administrative, indépendante, créée en 1978. Elle siège au 21, rue Saint-Guillaume 75007 Paris. Son but est de veiller au respect de la loi en cas d'atteinte à la vie privée et aux libertés.
Il existe en France environ 300 000 fichiers informatisés. La CNIL tient à la disposition du public une liste qui indique à quel service il faut s'adresser pour avoir accès aux données personnelles dans un fichier.

ÉTAT

VIE POLITIQUE

ADMINISTRATION

COLLECTIVITÉS LOCALES

JUSTICE

INTERNATIONAL

Une monarchie constitu-tionnelle : le Royaume-Uni

Le Royaume-Uni pratique un régime parlementaire. Le gouvernement peut dissoudre la Chambre des communes qui peut elle-même, par un vote, obliger le gouvernement à démissionner.

▬▬ Le pouvoir exécutif

Il est détenu par le Souverain et le Cabinet. L'ensemble des pouvoirs du Souverain constitue la Couronne.

Le Souverain

L'accession au trône est héréditaire. Elle est réglée par une loi de 1701 : les fils du souverain, puis les filles par rang d'âge. Les prétendants doivent appartenir à l'église anglicane.

La Couronne

La Couronne est une institution juridique. Cette institution possède un ensemble de pouvoirs appelé « la prérogative royale » ; nommer à certains emplois civils ou militaires, convoquer et dissoudre le Parlement, promulguer les lois, faire la paix ou la guerre, exercer le droit de grâce. Cependant ces pouvoirs sont, en réalité, exercés par le Cabinet, c'est-à-dire par l'ensemble formé par le Premier ministre et son gouvernement.

Le Cabinet

Le Premier ministre est choisi par le roi ou la reine, mais ce doit être obligatoirement le chef du parti majoritaire de la Chambre des communes.
Le Premier ministre choisit et forme son gouvernement.

▬▬ Le pouvoir législatif

Le pouvoir législatif est exercé par le Parlement. Il est composé de deux assemblées, la Chambre des communes et la Chambre des lords.

La Chambre des communes

Les députés sont élus au suffrage universel direct [p. 20], au scrutin uninominal majoritaire à un tour, pour cinq ans.
La Chambre des communes discute et vote les lois et le budget.

La Chambre des lords

Composée de membres héréditaires ou nommés à vie par la Couronne, elle a vu son pouvoir diminuer au profit des Communes.
Actuellement elle n'a plus de pouvoir sur les textes de lois à caractère financier. Pour les autres lois elle n'a qu'un veto suspensif.

POUVOIR EXÉCUTIF ET POUVOIR LÉGISLATIF

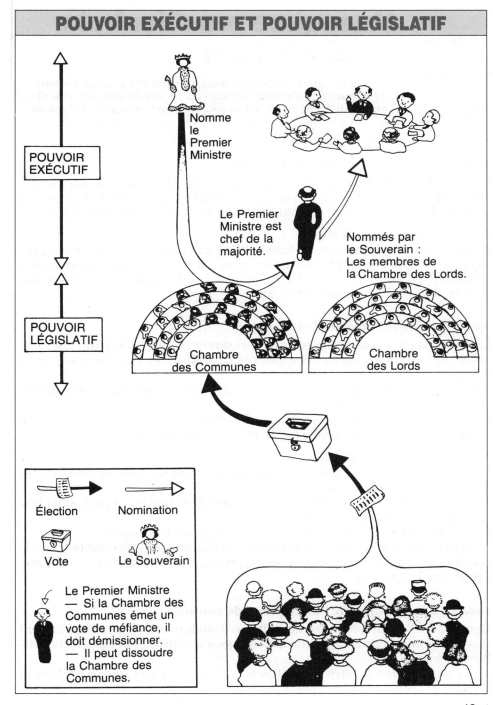

POUVOIR EXÉCUTIF

POUVOIR LÉGISLATIF

Nomme le Premier Ministre

Le Premier Ministre est chef de la majorité.

Nommés par le Souverain : Les membres de la Chambre des Lords.

Chambre des Communes

Chambre des Lords

Élection

Nomination

Vote

Le Souverain

Le Premier Ministre
— Si la Chambre des Communes émet un vote de méfiance, il doit démissionner.
— Il peut dissoudre la Chambre des Communes.

ÉTAT

VIE POLITIQUE

ADMINISTRATION

COLLECTIVITÉS LOCALES

JUSTICE

INTERNATIONAL

Un régime présidentiel : les États-Unis

Le régime présidentiel se caractérise par des pouvoirs séparés et n'ayant pas d'action l'un sur l'autre, le président ne peut dissoudre le Congrès, et le Congrès ne peut renvoyer le président.

Le pouvoir exécutif : le président

Le président est élu, ainsi que le vice-président, pour quatre ans au suffrage universel indirect [*p. 20*] et n'est rééligible qu'une seule fois par les grands électeurs, élus dans chaque État, au scrutin de liste majoritaire.

Les attributions du président

Il nomme et révoque les secrétaires d'État qui sont les agents de sa politique. Il est le chef de l'administration. Il possède le pouvoir réglementaire, participe à l'initiative de la loi et détient un droit de veto sur les lois votées. Il dirige la politique étrangère.

Le pouvoir législatif : le Congrès

Le Congrès est élu au suffrage universel direct [*p. 20*], au scrutin uninominal à un tour. Le Congrès comprend la Chambre des représentants et le Sénat.

Les représentants sont élus pour deux ans, leur nombre varie en fonction de la population de l'État.

Les sénateurs sont élus pour six ans, à raison de deux par État (cent sénateurs). Le Sénat est renouvelé par tiers tous les deux ans.

Les attributions du Congrès

Le Congrès possède le pouvoir législatif [*p. 4*], le pouvoir constituant, et supervise les services publics.

Le vote des crédits et du budget appartient au Congrès ; il peut ainsi bloquer des décisions du président.

La Chambre des représentants décide du montant des impôts.

Le Sénat contrôle la politique étrangère et donne son autorisation pour la nomination des membres de la Cour suprême. Il est présidé par le vice-président des États-Unis.

La Cour Suprême : un tribunal de contrôle

Composée d'un président et de huit juges nommés à vie par le président des États-Unis, la Cour suprême est chargée de contrôler la constitutionnalité des lois.

La Cour suprême arbitre les différends entre les États, entre un État et l'Union, entre un citoyen et l'État fédéral.

POUVOIR EXÉCUTIF ET POUVOIR LÉGISLATIF

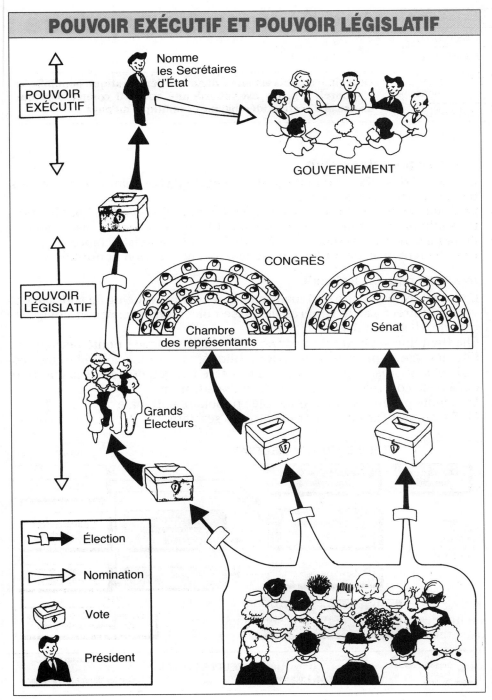

ÉTAT
VIE POLITIQUE
ADMINISTRATION
COLLECTIVITÉS LOCALES
JUSTICE
INTERNATIONAL

Une démocratie populaire : la Chine

Le régime chinois est une « dictature démocratique populaire ». L'appareil d'État y est subordonné au parti communiste qui assure la direction idéologique et politique du pays.

▬▬ Le pouvoir exécutif

Le Conseil des affaires d'État (gouvernement) dirige quarante et un ministères et commissions d'État.

La Commission militaire centrale (200 membres) constitue l'organe politico-militaire suprême. Son président est le personnage le plus important du régime avec le secrétaire général du Parti communiste chinois.

Le président de la République n'assume qu'une fonction honorifique.

▬▬ Le pouvoir législatif

L'Assemblée populaire nationale, chambre unique, est élue au suffrage universel indirect par le congrès des assemblées provinciales et comporte plus de 3 000 députés.

Elle tient une seule session par an et élit en théorie le Comité permanent. Elle désigne le président de la République, la Commission militaire centrale et son président. Elle vote les lois et le budget, décide de la guerre et de la paix, contrôle l'application de la Constitution.

Le Comité permanent de l'Assemblée populaire nationale (135 membres) assure l'intérim entre les sessions.

LES INSTITUTIONS DE L'ÉTAT*

PARTI

| Cour suprême populaire | Président (pour 10 ans) Vice-président | | donne son accord | Secrétaire général Secrétariat |

*Appareil d'État et parti communiste en Chine

désigne

propose

Premier ministre Conseil des affaires d'État (gouvernement)

Ministères et commissions d'État (41)

Bureau politique 25 membres

contrôle

Comité permanent

contrôle

Commission militaire centrale

Comité central 210 membres

contrôle

Assemblée populaire nationale 3 421 membres, élus pour 5 ans (une session par an)

Congrès national 1 545 membres (une session tous les 5 ans)

→ Élection
▬ Organes majeurs de pouvoir
➤ Contrôle

Assemblées régionales
Assemblées locales à tous niveaux

PEUPLE CHINOIS

Comités régionaux du PCC
Comités locaux à tous niveaux

POUVOIR EXÉCUTIF ET POUVOIR LÉGISLATIF

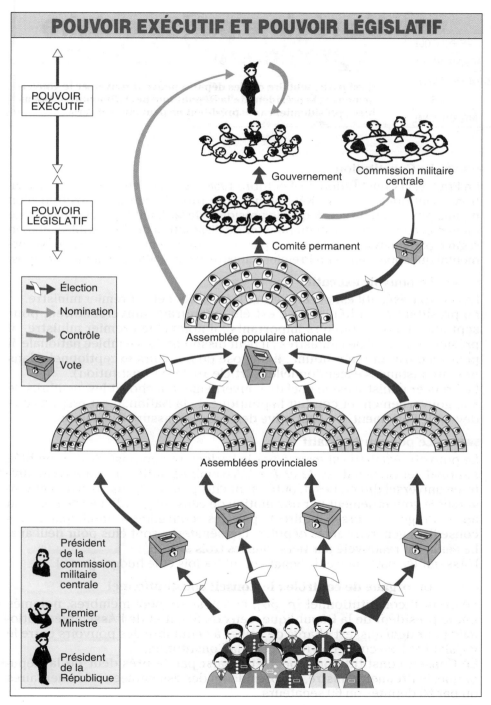

POUVOIR EXÉCUTIF

POUVOIR LÉGISLATIF

Élection
Nomination
Contrôle
Vote

Commission militaire centrale

Gouvernement

Comité permanent

Assemblée populaire nationale

Assemblées provinciales

Président de la commission militaire centrale

Premier Ministre

Président de la République

ÉTAT

VIE POLITIQUE

ADMINISTRATION

COLLECTIVITÉS LOCALES

JUSTICE

INTERNATIONAL

Un régime parlementaire et présidentiel : la France

Il est parlementaire car les députés peuvent renverser le gouvernement et le président de la République peut dissoudre l'Assemblée ; présidentiel car le président ne peut être renversé.

La Constitution

En France, la Constitution du 4 octobre 1958 organise l'ensemble des institutions politiques de la Ve République. Elle prévoit une juxtaposition d'un régime présidentiel, dans lequel le président de la République élu au suffrage universel direct est investi du pouvoir de dissolution de l'Assemblée, et d'un régime parlementaire, caractérisé par un renforcement du pouvoir gouvernemental qui appartient à un Premier ministre responsable devant les députés.

Le pouvoir exécutif

Le pouvoir exécutif est partagé entre le président et le Premier ministre.
Le président de la République est élu au suffrage universel direct pour sept ans. Il a des pouvoirs importants : il nomme le Premier ministre ; il préside le Conseil des ministres ; il peut dissoudre l'Assemblée nationale, il peut recourir au référendum ; il dispose de pouvoirs exceptionnels dans des circonstances exceptionnelles (article 16 de la Constitution).
Le Premier ministre est le chef du gouvernement. Il choisit les membres de son gouvernement et conduit la politique de la Nation. Il est responsable devant le Parlement. Il a l'initiative des lois et en assure l'exécution.

Le pouvoir législatif

Le pouvoir législatif est exercé par le Parlement composé de l'Assemblée nationale et du Sénat [p. 42 et 44]. L'Assemblée nationale est élue au suffrage universel direct. Les députés sont élus pour cinq ans. Ils peuvent renverser le gouvernement par une motion de censure [p. 52]. Le Sénat est élu au suffrage universel indirect par les conseillers municipaux, les conseillers généraux et les députés. Les sénateurs sont élus pour neuf ans. Le Sénat est renouvelé par tiers tous les trois ans.
L'Assemblée nationale et le Sénat votent les lois et le budget [p. 60].

Un organe de contrôle : le Conseil constitutionnel

Le Conseil constitutionnel [p. 56], composé de neuf membres, nommés par le président de la République, ceux du Sénat et de l'Assemblée nationale pour neuf ans, est chargé de veiller à l'équilibre des pouvoirs entre le législatif et l'exécutif et au respect de la Constitution.
Le Conseil constitutionnel peut être saisi par le président de la République, le Premier ministre, les présidents des assemblées parlementaires ou par 60 députés ou 60 sénateurs.

POUVOIR EXÉCUTIF ET POUVOIR LÉGISLATIF

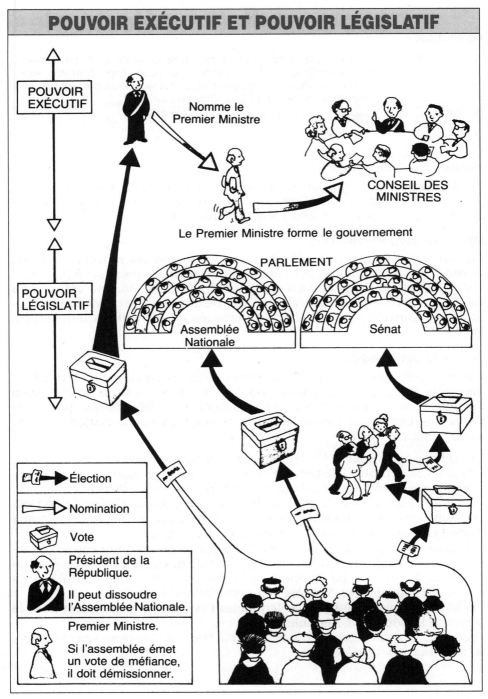

POUVOIR EXÉCUTIF

POUVOIR LÉGISLATIF

Nomme le Premier Ministre

CONSEIL DES MINISTRES

Le Premier Ministre forme le gouvernement

PARLEMENT

Assemblée Nationale

Sénat

Élection

Nomination

Vote

Président de la République.

Il peut dissoudre l'Assemblée Nationale.

Premier Ministre.

Si l'assemblée émet un vote de méfiance, il doit démissionner.

19

ÉTAT

VIE POLITIQUE

ADMINISTRATION

COLLECTIVITÉS LOCALES

JUSTICE

INTERNATIONAL

Les consultations électorales

> En France, les citoyens exercent leur droit de vote par la voie du référendum et par l'élection de leurs représentants aux affaires locales, départementales, régionales ou nationales. Le suffrage universel peut être direct ou indirect.

� Le suffrage direct

Le suffrage est universel direct lorsque les électeurs élisent directement leurs représentants : conseillers municipaux, conseillers généraux, députés, conseillers régionaux, président de la République.

▬ Le suffrage indirect

Le suffrage est universel indirect lorsque ce sont les représentants du corps électoral (donc des gens élus) qui deviennent électeurs à leur tour. Un maire est élu par le conseil municipal [*p. 96*]. Un sénateur est quant à lui élu par un collège électoral composé de députés, de conseillers régionaux, de conseillers généraux, de délégués de conseillers municipaux [*p. 44*].

▬ Le référendum

Par le référendum, le président de la République consulte directement les électeurs qui répondent par oui ou par non à la question posée. Selon l'article 11 de la Constitution, le président de la République peut soumettre au référendum tout projet de loi portant sur l'organisation des pouvoirs publics.

Les référendums sous la Ve République sont par exemple :
- celui du 28 octobre 1962 par lequel les Français se prononcent pour l'élection du président de la République au suffrage universel direct ;
- celui du 27 avril 1969 : le général de Gaulle propose aux Français un référendum sur la régionalisation et sur une réforme du Sénat. Le « non » l'ayant emporté, le général de Gaulle a démissionné ;
- celui du 23 avril 1972 : le président Georges Pompidou propose aux Français un référendum pour ratifier le traité d'adhésion de la Grande-Bretagne, du Danemark, de l'Irlande, de la Norvège à la Communauté économique européenne. (La Norvège refusera d'adhérer à la CEE.)
- celui du 6 novembre 1988 par lequel les Français se prononcent pour le statut de la Nouvelle-Calédonie ;
- celui du 20 septembre 1992 par lequel le traité de Maastricht est soumis à l'approbation des électeurs.

LES ÉLECTIONS FRANÇAISES

■ Élections municipales

Tous les six ans.
Élection des conseillers municipaux.
Suffrage universel direct.
Scrutin de liste selon un mode mixte.
(Dans les communes de plus de 3 500 habitants)

■ Élections des maires

Tous les six ans, après les élections municipales.
Élection des maires de chaque localité.
Suffrage indirect par chaque conseil municipal.
Scrutin uninominal majoritaire à trois tours.

■ Élections cantonales

Élection d'un conseiller général par canton.
Le renouvellement du conseil général a lieu par moitié tous les trois ans.
Suffrage universel direct.
Scrutin uninominal majoritaire à deux tours.

■ Élections régionales

Tous les six ans.
Élection des conseillers régionaux.
Suffrage universel direct.
Scrutin de liste à représentation proportionnelle.

■ Élections législatives

Tous les cinq ans.
Élection des députés.
Suffrage universel direct.
Scrutin uninominal majoritaire à deux tours.

■ Élections sénatoriales

Le Sénat est renouvelé par tiers tous les trois ans.
Élection des sénateurs.
Suffrage indirect.
Scrutin uninominal ou plurinominal majoritaire à deux tours dans les départements de 1 à 4 sénateurs.
Scrutin à représentation proportionnelle dans les départements de plus de 4 sénateurs.

■ Élections présidentielles

Tous les sept ans.
Élection du président de la République.
Suffrage universel direct.
Scrutin uninominal majoritaire à deux tours.

■ Élections européennes

Tous les cinq ans.
Élection des députés au Parlement européen.
Suffrage universel direct.
Scrutin de liste à représentation proportionnelle. (Pour les parlementaires européens élus par la France).

■ Élections professionnelles

Elles ne concernent pas tous les électeurs mais seulement ceux qui exercent une activité professionnelle et qui remplissent les conditions d'âge et d'ancienneté. Élection des délégués du personnel, du comité d'entreprise, des conseillers prud'homaux, etc.

ÉTAT

VIE POLITIQUE

ADMINISTRATION

COLLECTIVITÉS LOCALES

JUSTICE

INTERNATIONAL

L'électeur et le vote

En France, voter est un droit mais pas une obligation, contrairement à ce qui se passe en Belgique ou au Luxembourg où l'abstention non justifiée est punie par une amende. Pour voter, il faut remplir certaines conditions et le vote se déroule suivant des règles précises.

Les conditions à remplir pour être électeur

Être majeur : avoir 18 ans.
Être français, ou naturalisé français.
Jouir de ses droits civiques.
Être inscrit sur la liste électorale. La demande d'inscription sur la liste électorale doit être faite en mairie, avant le 31 décembre.

La carte d'électeur

L'électeur inscrit reçoit sa carte d'électeur qui est renouvelée périodiquement. Il est possible de voter sans présenter sa carte d'électeur. Il suffit de prouver son identité à l'aide d'une pièce officielle et de figurer sur les registres électoraux.

Le vote par procuration

Il permet à un électeur (le mandant) de se faire représenter au bureau de vote, le jour du scrutin, par un autre électeur de son choix (le mandataire). Le mandataire peut représenter deux électeurs établis en France ou cinq électeurs établis hors de France. La demande de vote par procuration exige un certain délai.
Qui est admis à voter par procuration ? En fait :
- toute personne éloignée de la commune en raison de ses activités : marins, militaires, mariniers, citoyens hors de France...
- toute personne ne pouvant se déplacer le jour du scrutin : invalides à 85 %, malades, femmes en couche...
- toute personne ayant sa résidence et son travail dans un autre département que celui de la commune d'inscription.
Il convient de s'adresser soit au tribunal d'instance [*p. 116*], soit au commissariat de police, soit à la gendarmerie. Les Français hors de France s'adressent au consulat.

Le vote par correspondance

Il a été supprimé en 1975 en raison des abus et fraudes auxquels il avait donné lieu.

Le dépouillement

Il est opéré par les scrutateurs (au moins quatre par table) et en public.

LE PLAN D'UN BUREAU DE VOTE

Les assesseurs
Ils sont désignés par les partis ou pris parmi les conseillers munici-paux.

L'urne
Elle est transparente depuis le 1er janvier 1993.
Elle est munie de deux serrures ou d'un cadenas qui nécessiteront deux clés différentes.

Des enveloppes bleues ou orange
L'électeur glisse son bulletin de vote dans une enveloppe.

Un électeur de la commune volontaire
Il donne les enveloppes fournies par la préfecture. Il veille à ce que chaque tas de bulletins ait toujours la même hauteur.

La table de décharge
On y trouve les enveloppes en nombre égal à celui des électeurs de la commune et les bulletins de vote.

Les bulletins de vote
Ils sont classés dans l'ordre des dépôts de candidature.

Un agent de police
Si le président du bureau de vote le souhaite. Il veille à ce que personne ne perturbe les élections.

Le président du bureau de vote
C'est le maire ou un adjoint ou un conseiller municipal.

Le secrétaire du bureau de vote
Il tient le registre électoral où sont inscrits et signent les électeurs de la commune.

Les isoloirs
Ils doivent être fermés par un rideau court, ils préservent le secret du vote (1 isoloir pour 300 électeurs inscrits).

S'il y a fraude

Des peines de prison de 6 mois à 2 ans et des amendes de 720 F à 20 000 F sont prévues en cas d'inscription frauduleuse sur les listes électorales. Sera puni de la même peine le citoyen qui vote plusieurs fois le même jour ou l'électeur qui prend l'identité d'un autre.

ÉTAT

VIE POLITIQUE

ADMINISTRATION

COLLECTIVITÉS LOCALES

JUSTICE

INTERNATIONAL

Le scrutin majoritaire

Dans le scrutin majoritaire est considéré élu le candidat ou la liste qui obtient la majorité des voix. La majorité absolue correspond à la moitié des suffrages exprimés plus une voix. On distingue scrutin uninominal majoritaire et scrutin de liste majoritaire.

▬▬ Le scrutin uninominal majoritaire

Les électeurs choisissent entre plusieurs candidats.

Les bulletins de vote ne comportent qu'un seul nom puisque les électeurs n'auront à choisir qu'un seul candidat (uninominal : un nom).

L'emporte au premier tour le candidat qui obtient la majorité absolue. Si personne n'est élu, on dit qu'il y a ballottage donc deuxième tour de scrutin.

$$\text{majorité absolue} = \frac{\text{suffrages exprimés}}{2} + 1$$

Au deuxième tour, l'emporte le candidat qui obtient le plus grand nombre de voix ou majorité relative.

Ce type de scrutin concerne l'élection présidentielle [*p. 34*], les élections législatives et les élections cantonales où les électeurs élisent un conseiller général par canton.

Le scrutin uninominal à trois tours concerne l'élection des maires, des présidents de l'Assemblée nationale et du Sénat et des présidents de conseils régionaux.

▬▬ Le scrutin de liste majoritaire

Les électeurs choisissent entre plusieurs listes de candidats.

Les bulletins de vote comportent autant de noms que de candidats à élire (si cinq sièges sont à pourvoir, chaque liste comportera cinq noms…).

Les électeurs déposent une liste dans l'urne.

L'emporte au premier tour la liste qui obtient la majorité absolue. Si aucune liste n'est élue, il y a ballottage et deuxième tour de scrutin.

Au deuxième tour, l'emporte la liste qui obtient le plus grand nombre de voix ou majorité relative.

« Liste bloquée » : dans un scrutin de liste, on parle de « liste bloquée » quand l'électeur ne peut ni raturer, ni modifier, ni déposer une liste incomplète sous peine de voir son bulletin annulé.

Ce type de scrutin concerne les élections sénatoriales [*p. 44*] dans les départements qui élisent moins de cinq sénateurs.

10 000 ÉLECTEURS VOTENT

■ Scrutin uninominal majoritaire

Exemple 1

Résultats du 1er tour :

Candidat A	Candidat B	Candidat C
5 500 voix	3 100 voix	1 400 voix

Suffrages exprimés : 10 000 voix.
Majorité absolue : 5 001 voix.

 Le candidat A est élu au premier tour : le nombre de voix obtenues est supérieur à la majorité absolue. Il n'y aura pas de deuxième tour.

Exemple 2

Résultats du 1er tour :

Candidat A	Candidat B	Candidat C
4 500 voix	3 600 voix	1 900 voix

Suffrages exprimés : 10 000 voix.
Majorité absolue : 5 001 voix.
Aucun candidat n'est élu au premier tour, car aucun n'atteint la majorité absolue. Il y a ballottage. Au deuxième tour, sera élu le candidat arrivé en tête.

■ Scrutin de liste majoritaire

Exemple 1

Liste A	Liste B	Liste C	Liste D
1 700 voix	5 200 voix	1 100 voix	2 000 voix

Suffrages exprimés : 10 000 voix.
Majorité absolue : 5 001 voix.

 La liste B est élue au premier tour : le nombre de voix obtenues est supérieur à la majorité absolue. Il n'y aura pas de deuxième tour.

Exemple 2

Résultats au 1er tour :

Liste A	Liste B	Liste C	Liste D
1 900 voix	4 900 voix	1 100 voix	2 100 voix

Suffrages exprimés : 10 000 voix.
Majorité absolue : 5 001 voix.
Aucune liste n'est élue.

Résultats au 2e tour :

Liste A	Liste B	Liste C	Liste D
1 800 voix	4 700 voix	1 300 voix	2 200 voix

La liste B est élue à la majorité relative.

ÉTAT

VIE POLITIQUE

ADMINISTRATION

COLLECTIVITÉS LOCALES

JUSTICE

INTERNATIONAL

Le scrutin proportionnel

> **Le scrutin de liste à représentation proportionnelle consiste à attribuer à chaque liste qui se présente, un nombre de sièges proportionnel à son score. On prendra sur les listes les candidats dans l'ordre préférentiel, en nombre égal au nombre de sièges obtenus. Il n'y a qu'un seul tour de scrutin.**

▬▬▬ Le quotient électoral

Pour répartir les sièges entre les différentes listes, il faut d'abord déterminer le quotient électoral. Il s'obtient en divisant le total des suffrages exprimés (donc ni les bulletins blancs ou nuls) par le nombre de sièges à pourvoir. Chaque liste obtiendra autant de sièges que son score contiendra le quotient électoral.

$$\text{Quotient électoral} = \frac{\text{total des suffrages exprimés}}{\text{nombre de sièges à pourvoir}}$$

Exemple : Total des suffrages = 10 000 voix - Nombre de sièges à pourvoir = 3. Quotient électoral : 10 000 divisé par 3 = 3 333.

▬▬▬ La plus forte moyenne - Le plus fort reste

L'application du quotient électoral ne permet pas de distribuer tous les sièges. Pour attribuer les sièges restants, il existe deux méthodes de calcul.

La méthode de « la plus forte moyenne » qui consiste à diviser le nombre de voix de chaque liste par le nombre de sièges obtenus + 1.

La méthode du « plus fort reste » qui consiste à soustraire du nombre de voix de chaque liste le total des quotients électoraux qu'elle peut contenir, à comparer ensuite les voix restantes.

Par opposition à la méthode de plus forte moyenne, la méthode du plus fort reste favorise les petites formations politiques.

▬▬▬ Quelles élections ont lieu à la proportionnelle ?

Les élections sénatoriales dans les départements qui ont droit à 5 ou plus de 5 sénateurs. (Sans panachage ni vote préférentiel)

Les conseillers régionaux [p. 82] sont élus à la proportionnelle.

Dans ces deux élections, la méthode de calcul utilisée est celle de la plus forte moyenne.

Les élections européennes ont lieu au scrutin proportionnel.

10 000 ÉLECTEURS VOTENT

Liste A	Liste B	Liste C	Liste D
5 000 voix	2 700 voix	1 200 voix	1 100 voix

Total des suffrages exprimés : 10 000 voix.
Total des sièges à pourvoir : 5

Méthode de la plus forte moyenne

Quotient électoral : 10 000 divisé par 5 = 2 000. Donc 2 000 voix donnent droit à un siège.

Les différentes listes obtiennent :

Liste A	Liste B	Liste C	Liste D
$\frac{5\ 000}{2\ 000}$	$\frac{2\ 700}{2\ 000}$	$\frac{1\ 200}{2\ 000}$	$\frac{1\ 100}{2\ 000}$
= 2 sièges	= 1 siège	= 0 siège	= 0 siège

3 sièges seulement viennent d'être attribués, il en reste 2. Les listes ayant les plus fortes moyennes recevront, dans l'ordre, les 2 sièges non attribués. Pour calculer la moyenne de chaque liste, on divise son nombre de voix par le nombre de sièges qu'elle a obtenus auquel on ajoute 1, d'où :
moyenne liste A : 5 000/(2 + 1) = 1 666
moyenne liste B : 2 700/(1 + 1) = 1 350
moyenne liste C : 1 200/(0 + 1) = 1 200
moyenne liste D : 1 100(0 + 1) = 1 100

Les listes A et B auront un siège supplémentaire.

Résultats définitifs :

Liste A	Liste B	Liste C	Liste D

| Trois sièges | Deux sièges | Aucun siège | Aucun siège |

Méthode du plus fort reste

Quotient électoral : 10 000 divisé par 5 = 2 000. Donc 2 000 voix donnent droit à un siège.

Les différentes listes obtiennent :

Liste A	Liste B	Liste C	Liste D
$\frac{5\ 000}{2\ 000}$	$\frac{2\ 700}{2\ 000}$	$\frac{1\ 200}{2\ 000}$	$\frac{1\ 100}{2\ 000}$
= 2 sièges	= 1 siège	= 0 siège	= 0 siège

3 sièges seulement viennent d'être attribués, il en reste 2.
Les 2 sièges non attribués après la répartition avec le quotient électoral seront donnés aux deux listes ayant le plus fort reste.

Calcul des plus forts restes :
liste A : 5 000 - 2 (2 000) = 1 000
liste B : 2 700 - 1 (2 000) =   700
liste C : 1 200 - 0 = 1 200
liste D : 1 100 - 0 = 1 100

Les listes C et D ont les plus forts restes et se voient attribuer un siège supplémentaire.

Résultats définitifs :

Liste A	Liste B	Liste C	Liste D
Deux sièges	Un siège	Un siège	Un siège

ÉTAT

VIE POLITIQUE

ADMINISTRATION

COLLECTIVITÉS LOCALES

JUSTICE

INTERNATIONAL

Le scrutin mixte

Le scrutin de liste selon un mode mixte combine le scrutin majoritaire et le scrutin à représentation proportionnelle. Il est prévu deux tours de scrutin mais un seul peut suffire si une liste obtient la majorité absolue au 1er tour.

Si une liste obtient la majorité absolue au 1er tour

Une liste obtient au premier tour la majorité absolue (c'est-à-dire la moitié des suffrages plus une voix) : elle occupera la moitié des sièges à pourvoir. (On arrondit, si c'est nécessaire, au chiffre supérieur.)
Le reste des sièges est réparti entre toutes les listes qui ont obtenu au moins 5 % des suffrages exprimés, y compris celle qui arrive en tête. Cette répartition se fait à la représentation proportionnelle, selon la méthode de la plus forte moyenne.
Il n'y a qu'un seul tour de scrutin, le second tour ne se justifie pas.

Si aucune liste n'obtient la majorité absolue au 1er tour

Aucune liste n'obtient au premier tour la majorité absolue (c'est-à-dire la moitié des suffrages exprimés plus une voix) : il y a un deuxième tour de scrutin.
Au deuxième tour, la liste qui obtient la majorité relative (c'est-à-dire le plus grand nombre de voix) recueille la moitié des sièges et le reste des sièges est réparti à la proportionnelle entre toutes les listes.

La barre des 10 %

Seules les listes qui ont obtenu au moins 10 % des voix au premier tour du scrutin sont autorisées à se présenter au deuxième tour. Les listes ayant recueilli moins de 10 % des suffrages doivent se retirer du scrutin (elles pourront, toutefois, se représenter lors d'une autre élection).

Quelles élections ont lieu selon un mode mixte ?

Les élections municipales [*p. 94*], dans les communes de plus de 3 500 habitants, ont lieu selon le mode mixte.
Ce scrutin a été adopté pour les élections municipales par la loi du 19 novembre 1982. Il concerne 2 228 communes qui ont plus de 3 500 habitants. Dans les 33 387 communes de moins de 3 500 habitants, les élections municipales ont lieu au scrutin de liste majoritaire.

50 000 ÉLECTEURS VOTENT

■ Exemple 1 (un tour)

45 sièges à pourvoir, chaque liste comporte donc 45 noms.

Résultats du 1er tour :

Liste A	Liste B	Liste C
30 000 voix	17 000 voix	3 000 voix

Suffrages exprimés : 10 000 voix.
Majorité absolue : 25 001 voix.

Commentaire des résultats

La liste A, dont le score est supérieur à la majorité absolue, obtient la moitié des sièges, soit 45/2 = 22,5 soit 23 sièges.
Il reste 22 sièges à distribuer entre les 3 listes, à la proportionnelle. Calcul du quotient électoral : 50 000 /22 = 2 272. Distribution des sièges à l'aide du quotient électoral : liste A : 4 sièges ; liste B : 1 siège ; liste C : 0 siège.
Il reste 2 sièges à distribuer selon la méthode de la plus forte moyenne.
La moyenne pour la liste A est de : 30 000/(13 + 1) = 2 142 ; pour la liste B : 17 800/(7 + 1) = 2 125 ; pour la liste C : 3 000/(1 + 1) = 1 500.
La liste A qui a la plus forte moyenne prend un siège.

Chaque liste obtient :

Liste A	Liste B	Liste C
23 sièges	7 sièges	1 siège
+ 13 sièges	+ 0 siège	+ 0 siège
+ 1 siège	= 7 élus	= 1 élu
= 37 sièges		
37 élus		

■ Exemple 2 (deux tours)

45 sièges à pourvoir.

Résultats du 1er tour :

Liste A	Liste B	Liste C
23 000 voix	15 000 voix	12 000 voix

Suffrages exprimés : 50 000.
Majorité absolue : 25 001.
Aucune liste n'atteint la majorité absolue, il y a donc un deuxième tour.

Résultats du 2e tour :

Liste A	Liste B	Liste C
24 000 voix	14 000 voix	12 000 voix

Suffrages exprimés : 10 000.
On attribue la moitié des sièges à la liste B qui a la majorité relative.
Le reste est distribué à la proportionnelle entre les trois listes.

Chaque liste obtient :

Liste A	Liste B	Liste C
34 sièges	6 sièges	5 sièges

ÉTAT

VIE POLITIQUE

ADMINISTRATION

COLLECTIVITÉS LOCALES

JUSTICE

INTERNATIONAL

Les partis politiques

La vie politique française est animée par de nombreux partis politiques. Quelques-uns seulement ont une audience importante et sont représentés au Parlement. Chaque parti politique exprime un courant de pensée.

■■■■■ La liberté politique

Chacun est libre d'adhérer ou non à un parti politique.

Chaque électeur est libre de voter pour élire un candidat appartenant à tel ou tel parti politique.

L'âge d'adhésion et le montant de la cotisation varient d'un parti à l'autre.

La liberté politique est reconnue dans la constitution de 1958. Elle reconnaît que « les partis et groupements politiques concourent à l'expression du suffrage. Ils se forment et exercent leur activité librement. Ils doivent respecter les principes de la souveraineté nationale et de la démocratie ».

■■■■■ L'expression des partis politiques

Pour faire passer leurs idées, les partis politiques s'expriment par voie d'affiches, de tracts, de journaux. Leurs leaders participent à des émissions de radios ou à des débats télévisés.

■■■■■ La majorité et l'opposition

On appelle « partis de la majorité » les groupements politiques qui, ensemble, ont un nombre de députés qui atteint la majorité absolue [*p. 24*] à l'Assemblée. Les partis de la majorité soutiennent le gouvernement [*p. 40*] en place.

On appelle « partis de l'opposition » l'ensemble des partis politiques qui n'ont pas la majorité à l'Assemblée et qui s'opposent à l'action du gouvernement en place.

■■■■■ Gauche-droite

Le terme « gauche » désignait, dans les assemblées parlementaires, les élus qui prennent place sur les bancs situés à gauche du président.

Le terme « droite » désignait les élus assis à la droite du président.

L'origine des expressions « droite » et « gauche » remonte au 11 septembre 1789, lorsque les partisans de la monarchie se groupèrent à la droite du président de l'Assemblée nationale Constituante. Donc, à l'origine, la « droite » rassemblait les défenseurs de l'ordre et de la tradition et faisait figure de parti plus conservateur.

Depuis, les expressions « droite » et « gauche » ont vu leur contenu évoluer.

LES PRINCIPAUX PARTIS POLITIQUES FRANÇAIS

Le RPR ou Rassemblement pour la République, 123, rue de Lille 75007 Paris.

L'UDF ou Union pour la démocratie française, 12, rue François 1er 75008 Paris.
L'UDF regroupe le PR ou Parti républicain, le CDS ou Centre des démocrates sociaux.

Le FN ou Front national, 8, rue du Général-Clergerie 75116 Paris.

Le PS ou Parti socialiste, 10, rue de Solférino 75333 Paris.

Le PC ou Parti communiste, 2, place du Colonel-Fabien 75019 Paris.

Le MRG ou Mouvement des radicaux de gauche, 3, rue de La Boétie 75008 Paris.

Génération écologie, 3, rue Roquépine 75008 Paris.

Les Verts, 107, avenue Parmentier 75011 Paris.

La transparence financière de la vie politique

Depuis le 11 mars 1988 une loi établit une nécessaire transparence financière de la vie politique. Cette loi concerne le financement des partis et les frais de campagne.
La commission nationale des comptes de campagne et de financement peut rejeter les comptes de campagne d'un député si ses comptes dépassent un plafond fixé à 500 000 francs. Le Conseil constitutionnel se prononce ensuite sur la validité de l'élection.

ÉTAT

VIE POLITIQUE

ADMINISTRATION

COLLECTIVITÉS LOCALES

JUSTICE

INTERNATIONAL

Les syndicats de salariés

> Un syndicat est une association de personnes exerçant la même profession ou des métiers similaires. Il a pour objet la défense des intérêts économiques et professionnels de ses membres tant auprès des représentants patronaux qu'auprès des représentants de l'État.

La liberté syndicale

Chacun est libre d'adhérer ou non à un syndicat.

Pour adhérer, il suffit d'être salarié, d'avoir plus de 16 ans, sans distinction de sexe ou de nationalité. L'adhérent s'acquitte d'une cotisation qui donne droit à une déduction fiscale.

Une personne syndiquée peut se retirer librement de son syndicat.

Le droit syndical dans l'entreprise

Ce droit est reconnu dans toutes les entreprises.

Un syndicat, reconnu sur le plan national, peut créer, dans l'entreprise, une section syndicale.

La section syndicale dispose du droit d'affichage. Elle peut distribuer des tracts syndicaux aux heures d'entrée et de sortie.

Au-delà de 200 salariés, un local est mis à la disposition de la section syndicale.

Le délégué syndical représente la section auprès du chef d'entreprise. Le délégué doit avoir au moins 18 ans et travailler dans l'entreprise depuis un an (4 mois en cas de création d'entreprise). Il ne peut être licencié qu'après avis conforme de l'Inspecteur du travail. Il dispose d'un certain nombre d'heures, à l'intérieur de ses horaires de travail, pour exercer ses fonctions (ex. : 10 heures au moins par mois si l'entreprise emploie de 50 à 150 salariés).

Les attributions d'un syndicat

Il négocie avec les représentants patronaux, avec les représentants de l'État.

Il passe des contrats concernant la profession (exemple : conventions collectives).

Il peut décréter la grève.

Il peut aller en justice pour défendre ses intérêts.

Il présente des candidats aux élections des délégués du personnel et du comité d'entreprise.

Il informe ses adhérents, défend leurs intérêts professionnels et matériels.

Il crée des œuvres sociales.

LES GROUPEMENTS SYNDICAUX

Plus un syndicat réunit de membres, plus il est représentatif et capable de défendre leurs intérêts.

À partir de la section syndicale qui est la cellule de base, il existe plusieurs sortes de groupements : une union, une fédération, une confédération.

Une union est une association de plusieurs syndicats, de métiers différents sur le plan local ou départemental.

Une fédération groupe des syndicats d'une même profession sur le plan national (ex. : la FNSEA ou Fédération Nationale des Syndicats d'Exploitants Agricoles et depuis 1993, dans le domaine de l'enseignement, la FEN ou Fédération de l'Éducation Nationale et la FSU ou Fédération syndicale unitaire).

Une confédération regroupe unions et fédérations sur le plan national.

Créée en 1964
Confédération française
démocratique du travail

Créée en 1944
Confédération générale des cadres

Créée en 1895
Confédération générale du travail

Créée en 1919
Confédération française
des travailleurs chrétiens

Créée en 1947
Force ouvrière

La reconnaissance du droit syndical

Le 21 mars 1884, la loi Waldeck-Rousseau autorise la création des syndicats. Le préambule de la Constitution de 1946, repris par celle de 1958, affirme que « tout homme peut défendre ses droits et ses intérêts par l'action syndicale et adhérer au syndicat de son choix ».

ÉTAT

VIE POLITIQUE

ADMINISTRATION

COLLECTIVITÉS LOCALES

JUSTICE

INTERNATIONAL

L'élection du président de la République

Le président de la République est élu par tous les citoyens, ce qui renforce l'autorité du chef de l'État. C'est le plus haut personnage de la République française.

Qui peut être candidat ? Comment ?

Il faut être âgé de 23 ans révolus au jour du scrutin.

Une candidature doit être présentée par au moins 500 citoyens élus, membres du Parlement, des conseils régionaux, des conseils généraux, du Conseil de Paris [p. 102], des assemblées territoriales des territoires d'outre-mer [p. 106] ou maires.

Les signatures des élus qui parrainent doivent provenir d'au moins 30 départements et territoires d'outre-mer différents.

Les candidatures sont adressées au Conseil constitutionnel [p. 56].

Chaque candidat doit déposer auprès du Trésorier-payeur général une caution de 10 000 F.

L'État prend en charge les coûts du papier et de l'impression. Il rembourse en outre 100 000 F à chaque candidat ayant obtenu au moins 5 % des suffrages exprimés.

Comment est élu le président de la République ?

Il est élu au suffrage universel direct depuis 1962, c'est-à-dire que chaque citoyen vote pour un candidat à l'élection présidentielle.

Le président de la République est élu au scrutin uninominal majoritaire [p. 24] à deux tours. Un délai de 15 jours sépare les deux tours de scrutin.

Au 2e tour ne peuvent se présenter que les deux candidats arrivés en tête au 1er tour.

Le président de la République est élu pour une durée de sept ans, c'est un septennat.

Que se passe-t-il quand la place de président est vacante ?

Si le président de la République démissionne ou décède en cours de mandat, l'intérim est assuré par le président du Sénat, le temps d'organiser les prochaines élections.

Alain Poher, lorsqu'il était président du Sénat, a assuré l'intérim en 1969, lors de la démission du général de Gaulle et, en 1974, lors du décès de Georges Pompidou.

Il y a suppléance et non intérim si le président de la République est malade ou en déplacement à l'étranger. Le Premier ministre [p. 38] peut alors le remplacer pour présider un Conseil des ministres.

LE PARCOURS DU CANDIDAT

①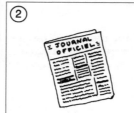

19 jours avant le
1er tour envoi des
500 signatures

②

16 jours avant le
1er tour publication
des candidatures

③

Ouverture officielle
de la campagne
électorale

④

Meetings

⑤

Allocutions télévisées

⑥

Fin de la campagne
électorale

⑦

1er tour (dimanche)

⑧

Proclamation
des résultats
du 1er tour

⑨

Campagne électorale
du 2e tour

⑩

Fin de la campagne
électorale

⑪

2e tour
(15 jours après le 1er tour)

⑫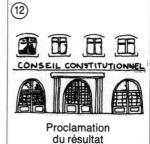

Proclamation
du résultat

ÉTAT

VIE POLITIQUE

ADMINISTRATION

COLLECTIVITÉS LOCALES

JUSTICE

INTERNATIONAL

Les pouvoirs du président de la République

La Ve République donne au chef de l'État des pouvoirs traditionnels qu'il exerce en permanence et les pouvoirs exceptionnels qu'il prend dans des circonstances importantes ou graves.

■■■■■ Le président et l'exécutif

Il nomme le Premier ministre et, sur proposition du Premier ministre [p. 38], les autres ministres et met fin à leurs fonctions. Il préside le Conseil des ministres [p. 40]. Il nomme aux hautes fonctions civiles et militaires de l'État (recteurs [p. 77], préfets [p. 68]).
Il est le chef des armées [p. 72].
Il promulgue les lois (il signe et date). Il signe les ordonnances et les décrets délibérés [p. 50] (décidés) en Conseil des ministres.

■■■■■ Le président et la Constitution

Il veille au respect de la Constitution. Si une loi ne lui paraît pas conforme à la Constitution, il peut demander l'avis du Conseil constitutionnel [p. 56].
Il nomme, pour neuf ans, trois membres du Conseil constitutionnel, dont le président de ce Conseil.

■■■■■ Le président et la diplomatie

Il doit maintenir l'indépendance de la nation par rapport à l'étranger. Il négocie et ratifie les traités. Il nomme les ambassadeurs français à l'étranger et reçoit les ambassadeurs étrangers.

■■■■■ Le président et la justice

Il doit préserver l'indépendance de la justice. Les magistrats [p. 111] ne doivent pas subir de pression.
Il préside le Conseil supérieur de la magistrature dont il nomme les neuf membres. Il a le droit de faire grâce.

■■■■■ Le président et le Parlement

Il peut dissoudre l'Assemblée nationale [p. 42].
Il ouvre et ferme les sessions extraordinaires du Parlement par décret.

■■■■■ Les pouvoirs exceptionnels

Le référendum [p. 20] : le président peut consulter les électeurs par référendum.
Les pleins pouvoirs : en vertu de l'article 16, le président peut prendre les pleins pouvoirs (exécutif + législatif) si le territoire est menacé ou envahi, si les institutions de la République sont menacées.

Le palais de l'Élysée est la résidence officielle du chef de l'État. Il se situe 55, rue du Faubourg-Saint-Honoré 75008 Paris.

Les autres résidences présidentielles sont : le château de Rambouillet, l'hôtel Marigny, le fort de Brégançon (Var).

1. *Bureau du président* (l'ancien bureau de Charles de Gaulle et Georges Pompidou).
2. *Bureau du Conseiller auprès du président.*
3. *Bureau du Secrétaire général* (la salle du Conseil des ministres sous de Gaulle).
4. *Bureau du directeur de Cabinet* (l'ancien bureau de Valéry Giscard d'Estaing).
5. *Secrétariat particulier du président.*
6. *Bureau du porte-parole de la présidence.*
7. Le bureau réservé au chef de cabinet.
8. *Salle des fêtes* : en dessous de cette pièce rénovée en 1984, le président a fait installer un studio de télévision d'où il peut intervenir sans qu'il faille mettre en place des installations spéciales.
9. *Jardin d'hiver,* refait en 1984.
10. *Salle à manger Napoléon III.*
11. *Salon Murat,* où se tient le Conseil des ministres.
12. *Salon des aides de camp,* où ont lieu les déjeuners officiels.

13. *Salon des ambassadeurs,* où sont présentées les lettres de créance.
14. *Salon de l'hémicycle,* derrière lequel se trouve l'ascenseur réservé au président.
15. *Salon des portraits,* où se déroulent les petits déjeuners de travail.
16. *Salon Cléopâtre,* qui isole les appartements privés du président de la République.
17. *Bibliothèque.*
18. *Les appartements privés,* rénovés en 1984.

**Les présidents
de la Ve République**

Charles de Gaulle 1958-1969
Georges Pompidou 1969-1974
Valéry Giscard d'Estaing 1974-1981
François Mitterrand 1981-1995

ÉTAT
VIE POLITIQUE
ADMINISTRATION
COLLECTIVITÉS LOCALES
JUSTICE
INTERNATIONAL

Le Premier ministre

Nommé par le président de la République, le Premier ministre est l'animateur de l'équipe gouvernementale qu'il a contribué à choisir. Il a un rôle prépondérant dans la politique menée par le gouvernement. Sa résidence officielle est l'hôtel Matignon.

▆▆▆ Le président et le Premier ministre

Le président de la République [*p. 36*] nomme le Premier ministre et, sur proposition du Premier ministre, les autres membres du gouvernement [*p. 31*].

Le décret portant nomination du gouvernement est publié au *Journal officiel*.

Le président de la République met fin aux fonctions du Premier ministre, sur la présentation, par celui-ci, de la démission du gouvernement.

▆▆▆ Le rôle du Premier ministre

Dès sa nomination, il propose la liste des ministres au président de la République.

Il dirige l'action du gouvernement.

Il est, selon la Constitution, responsable de la défense nationale [*p. 72*].

Il assure l'exécution des lois.

Il dispose du pouvoir réglementaire [*p. 50*], c'est-à-dire qu'il peut prendre des décisions appelées décrets et contresignées par le ministre chargé de leur application.

Il nomme à certains emplois civils, autres que ceux pourvus par le président de la République.

Il peut, si le chef de l'État le lui demande, présider un Conseil des ministres [*p. 40*], sur un ordre du jour déterminé.

Il peut déléguer certains de ses pouvoirs aux ministres.

Il peut, au nom du gouvernement, soumettre au Parlement des projets de loi [*p. 48*].

Il peut proposer au président de la République une révision de la Constitution.

Il peut engager la responsabilité de son gouvernement devant l'Assemblée nationale, en posant la question de confiance [*p. 54*].

Il est consulté par le président de la République avant la prise des pleins pouvoirs.

L'HÔTEL MATIGNON

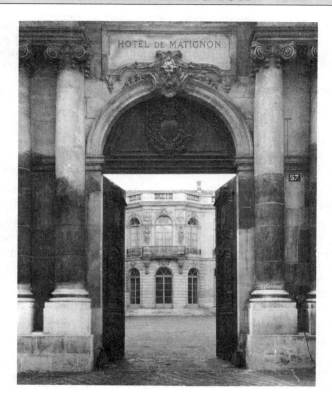

Il est situé 57, rue de Varenne à Paris. Sa façade est de style rocaille et son jardin est le plus grand espace vert de Paris *intra muros*.

En 1721, Jean de Courtonne entreprend la construction pour le maréchal de Montmorency et l'achève pour le comte Jacques de Matignon.

En 1808, Talleyrand achète l'édifice qui changera plusieurs fois de propriétaire.

En janvier 1888, l'hôtel Matignon devient ambassade d'Autriche.

En janvier 1935, il est mis à la disposition du président du Conseil (Léon Blum sera le premier occupant).

Les Premiers ministres de la Ve République

1959-1962	Michel Debré
1962-1968	Georges Pompidou
1968-1969	Maurice Couve de Murville
1969-1972	Jacques Chaban-Delmas
1972-1974	Pierre Messmer
1974-1976	Jacques Chirac
1976-1981	Raymond Barre
1981-1984	Pierre Mauroy
1984-1986	Laurent Fabius
1986-1988	Jacques Chirac
1988-1991	Michel Rocard
1991-1992	Édith Cresson
1992-1993	Pierre Bérégovoy
1993-	Édouard Balladur

ÉTAT

VIE POLITIQUE

ADMINISTRATION

COLLECTIVITÉS LOCALES

JUSTICE

INTERNATIONAL

Le gouvernement

> Le Premier ministre, les ministres et les secrétaires d'État forment ce que l'on appelle le gouvernement. Celui-ci détermine et conduit la politique de la nation. Il dispose de l'administration et de la force armée. Avec le chef de l'État, il assure le pouvoir exécutif.

▬▬▬ Nomination du gouvernement

Les ministres et secrétaires d'État sont nommés par le chef de l'État [*p. 36*] sur proposition du Premier ministre. Ils ont tous droit à l'appellation de « ministre ».

▬▬▬ La fin du gouvernement

Si le Premier ministre [*p. 38*] remet au président de la République la démission de son gouvernement, il y a changement complet de gouvernement.
Si le président de la République met fin aux fonctions d'un ministre ou si un ministre démissionne, il y a remaniement ministériel.

▬▬▬ La composition du gouvernement

Le nombre de ministres et de secrétaires d'État varie d'un gouvernement à l'autre. Il existe une hiérarchie ministérielle.
Le Premier ministre est l'animateur de l'équipe gouvernementale.
Les ministres d'État sont chargés d'un ministère jugé plus important ou d'un rôle de coordination. Les ministres à portefeuille sont chargés d'un ministère : économie, éducation, justice… Les ministres délégués dépendent du Premier ministre.
Les secrétaires d'État ont un rôle plus restreint, on distingue :
- les secrétaires d'État autonomes ;
- les secrétaires d'État auprès du Premier ministre ;
- les secrétaires d'État auprès d'un ministre.

▬▬▬ Les incompatibilités

La Constitution précise que les fonctions de membres du gouvernement sont incompatibles avec l'exercice de tout mandat parlementaire, de toute fonction de représentation professionnelle à caractère national et de tout emploi public ou de toute activité professionnelle.
Ainsi donc, on ne peut être à la fois ministre et député, ministre et sénateur ou encore ministre et dirigeant syndical.

▬▬▬ La responsabilité politique du gouvernement

Le gouvernement est responsable devant l'Assemblée nationale qui peut le renverser en votant une motion de censure ou en refusant la confiance.
Le Premier ministre est alors contraint de remettre la démission de son gouvernement au président de la République.

MINISTRES ET CONSEIL DES MINISTRES

■ Le Conseil des ministres

Il réunit le Premier ministre et les ministres sous la présidence du président de la République. Les secrétaires d'État n'y participent pas de plein droit.

Exceptionnellement, le Premier ministre peut présider un Conseil des ministres avec une délégation du chef de l'État et sur un ordre du jour déterminé.

Le Conseil des ministres se tient habituellement à l'Élysée [*p. 37*], le mercredi. Il s'achève par un communiqué officiel.

■ Le Conseil de cabinet, le comité interministériel, le comité restreint

Le Conseil de cabinet réunit, exceptionnellement, le Premier ministre et les ministres. Le comité interministériel, présidé par le Premier ministre, ne réunit que quelques ministres ou secrétaires d'État concernés par une même question. Les comités restreints, sans existence légale, sont réunis à la demande ou avec autorisation du président de la République, pour préparer certaines affaires.

■ Le rôle d'un ministre

Il joue un rôle politique en tant que membre du gouvernement. Il présente et défend le budget de son ministère devant le Parlement.

Il joue un rôle administratif comme chef hiérarchique du personnel de son ministère.

La responsabilité d'un ministre devant la justice

Un ministre est responsable civilement et peut, pendant l'exercice de ses fonctions, être condamné à verser des dommages et intérêts à des particuliers.

Un ministre est responsable pénalement des délits et crimes commis dans l'exercice de ses fonctions. Il peut être jugé par la Cour de justice de la République qui a remplacé la Haute Cour de justice (Congrès de Versailles du 19 juillet 1993).

ÉTAT

VIE POLITIQUE

ADMINISTRATION

COLLECTIVITÉS LOCALES

JUSTICE

INTERNATIONAL

L'Assemblée nationale

Le Parlement se compose de deux assemblées : l'Assemblée nationale et le Sénat. L'Assemblée nationale formée par les députés vote les lois et contrôle l'action du gouvernement. Élue directement par le peuple, elle joue un rôle prééminent dans le bicaméralisme.

▬▬ Le nombre des députés

Les députés siègent au Palais-Bourbon. La salle des séances a la forme d'un demi-cercle, c'est l'hémicycle.

L'Assemblée nationale comprend 577 députés, dont 555 pour la métropole.

▬▬ L'élection des députés

Les élections législatives ont lieu tous les cinq ans, au suffrage universel direct. Cette durée de cinq ans s'appelle la législature. Elle peut être écourtée en cas de dissolution prononcée par le président de la République.

Les députés sont élus au scrutin uninominal majoritaire à deux tours (un député par circonscription). L'âge minimum d'éligibilité est de 23 ans.

▬▬ Le rôle de l'Assemblée nationale

Le domaine de la loi : l'Assemblée nationale vote les lois d'origine gouvernementale (projets de loi) ou parlementaire (propositions de lois). Elle vote le budget appelé projet de loi de finances.

Le contrôle de l'action du gouvernement : un député peut s'informer de l'action du gouvernement en posant des questions.

Une question écrite : un député pose une question à un ministre qui répond dans le *Journal officiel.*

Une question orale : un député pose, en séance publique, une question à un ministre qui lui répond oralement.

Une question d'actualité est posée en début de séance du mercredi après-midi. Cette séance de questions est télévisée. Il existe parfois les questions posées à un ministre, chaque jeudi de la session de printemps : un ministre est interrogé par les groupes politiques pendant une heure.

L'Assemblée nationale peut renverser le gouvernement en votant une motion de censure ou en refusant la confiance [*p. 52 et 54*].

▬▬ Le président de l'Assemblée nationale

Le président de l'Assemblée nationale est élu pour la durée de la législature. Il dirige les débats depuis « le perchoir ». Il peut être remplacé par l'un des vice-présidents. Il nomme trois membres du Conseil constitutionnel. Il est informé lors de la prise des pleins pouvoirs par le chef de l'État.

LA SEMAINE D'UN DÉPUTÉ-MAIRE ET CONSEILLER GÉNÉRAL

	Matin	Après-midi
Lundi	**Conseil général** **Circonscription** : accueil des industriels, commerçants, etc.	**Conseil général :** séance plénière **Circonscription :** permanences
Mardi	**Circonscription** : rendez-vous avec les industriels, les commerçants, les professions libérales, etc.	
Mercredi	**Assemblée nationale :** réunion des commissions	**Assemblée nationale :** questions au gouvernement
Jeudi	**Assemblée nationale :** réunion des commissions	**Conseil municipal :** réunions des différents services
Vendredi	**Réunions diverses :** conseil d'administration du centre hospitalier, conseil local pour l'Emploi, etc.	**Mairie :** permanence
Samedi	**Mairie :** permanence	Participation aux **manifestations** locales, départementales ou régionales
Dimanche	Participation aux **manifestations** locales, départementales et régionales. Courrier	

ÉTAT

VIE POLITIQUE

ADMINISTRATION

COLLECTIVITÉS LOCALES

JUSTICE

INTERNATIONAL

Le Sénat

> Le Sénat constitue la deuxième assemblée du Parlement. On l'appelle encore « chambre de réflexion ». Il est composé de sénateurs élus au suffrage universel indirect. Il est moins soumis aux pressions des électeurs et ne peut être dissous par le président de la République.

� Le nombre des sénateurs

Les sénateurs siègent au palais du Luxembourg. Le Sénat comprend 321 élus.

▬▬▬ L'élection des sénateurs

Ils sont élus au suffrage universel indirect [*p. 20*], pour neuf ans.

Il y a des élections sénatoriales tous les trois ans car le Sénat est renouvelable par tiers tous les trois ans.

Le scrutin varie selon le nombre de sénateurs que le département doit élire.

Dans les départements de 1 à 4 sénateurs, c'est le scrutin majoritaire [*p. 24*] à deux tours.

Dans les départements de plus de 4 sénateurs, c'est le scrutin de liste à représentation proportionnelle [*p. 26*].

L'âge minimum d'éligibilité d'un sénateur est de 35 ans.

▬▬▬ Le rôle du Sénat

Le domaine de la loi. Comme les députés, les sénateurs ont l'initiative législative, ils peuvent proposer un texte de loi qu'on appelle « proposition de loi [*p. 48*] » et déposer des amendements des textes qu'ils examinent.

Le Sénat vote les lois et le budget de l'État et contrôle l'action du gouvernement.

Le Sénat, contrairement à l'Assemblée nationale, ne peut pas renverser le gouvernement. Le Sénat ne peut être dissous par le président de la République.

Les sénateurs peuvent poser des questions (écrites, orales, avec ou sans débat d'actualité) aux ministres, au moins une fois par semaine.

▬▬▬ Le président du Sénat

Le président du Sénat est élu (ou réélu) tous les trois ans. Il assure la présidence avec les quatre vice-présidents.

Il est le troisième personnage de l'État. Il assure l'intérim si la place de président de la République est vacante.

Il nomme trois membres du Conseil constitutionnel [*p. 56*].

Il est informé lors de la prise des pouvoirs exceptionnels par le chef de l'État.

LA SEMAINE D'UN SÉNATEUR
EN PÉRIODE DE SESSION

Lundi (dans la circonscription)	Courrier. Rendez-vous. Règlement des affaires locales. Réunion hebdomadaire avec adjoints et collaborateurs.
Mardi (Sénat)	Réunion du groupe politique au Sénat. Séance.
Mercredi (Sénat)	Réunion de commission (matin). Séance (après-midi et soir). Rendez-vous.
Jeudi (Sénat)	Préparation d'un rapport avec ses collaborateurs (matin). Commission (après-midi). Séance (soir).
Vendredi (Sénat et circonscription)	Séance de questions orales au Sénat (matin). Réunions départementales ou régionales (après-midi). Courrier (soir).
Samedi (circonscription)	Participation aux manifestations locales, départementales ou régionales.
Dimanche (circonscription)	Participation aux manifestations locales (matin) Famille (après-midi).

ÉTAT

VIE POLITIQUE

ADMINISTRATION

COLLECTIVITÉS LOCALES

JUSTICE

INTERNATIONAL

Le Parlement : sessions et débats

Le fonctionnement du Parlement est réglementé. Les députés, au Palais-Bourbon, et les sénateurs, au palais du Luxembourg, se réunissent en sessions ordinaires deux fois par an.

Les sessions parlementaires

Les sessions ordinaires : l'Assemblée nationale et le Sénat se réunissent de plein droit deux fois par an.

La session d'automne ou budgétaire s'ouvre le 2 octobre et dure au maximum 80 jours.

La session de printemps s'ouvre le 2 avril et dure au maximum 90 jours.

Les sessions extraordinaires ont lieu à la demande du Premier ministre ou de la majorité des membres de l'Assemblée nationale et sur un ordre du jour déterminé. Si la session extraordinaire se fait sur la demande des députés, la session ne peut dépasser 12 jours.

Les sessions extraordinaires du Parlement sont ouvertes et closes par décret présidentiel [p. 36].

Le bureau des assemblées

Il assure l'organisation du travail parlementaire, la présidence des débats et l'administration dans chacune des deux assemblées qui composent le Parlement.

À l'Assemblée nationale [p. 42], le bureau comprend un président élu pour 5 ans, 6 vice-présidents, 12 secrétaires et 3 questeurs chargés de la gestion financière et administrative.

Au Sénat [p. 44], le bureau comprend un président élu pour 3 ans, 4 vice-présidents, 8 secrétaires et 3 questeurs.

Les groupes politiques

Les groupes politiques : les parlementaires sont le plus souvent groupés par affinités politiques. Il faut 20 députés apparentés au même parti [p. 30] pour constituer un groupe politique à l'Assemblée nationale, il faut 15 sénateurs au Sénat.

Chaque groupe politique élit son président de groupe.

La conférence des présidents

La conférence des présidents comprend à l'Assemblée nationale comme au Sénat : le président de l'assemblée, les vice-présidents, les présidents des groupes parlementaires, les présidents des commissions, un représentant du gouvernement. La conférence des présidents fixe l'ordre du jour des travaux parlementaires en fonction des demandes du gouvernement.

LES COMMISSIONS PARLEMENTAIRES

L'essentiel du travail préparatoire au vote d'une loi est effectué en commissions. Ces commissions sont au nombre de six à l'Assemblée nationale et de six au Sénat. Chaque commission étudie le texte de loi avant le vote par les assemblées.

■ Les commissions permanentes à l'Assemblée nationale

- Affaires culturelles, familiales et sociales.
- Affaires étrangères.
- Finances, économie générale et plan (vérification du budget de l'État).
- Défense nationale et forces armées.
- Production et échanges.
- Lois constitutionnelles, législation et administration générale de la République.

■ Les commissions permanentes du Sénat

Affaires culturelles.
Affaires étrangères, défense et forces armées.
Affaires économiques et plan.
Affaires sociales.
Finances, contrôle budgétaire et comptes économiques de la nation.
Lois constitutionnelles, législation, suffrage universel, règlement et administration générale.

■ Les commissions spéciales

Si un texte de loi ne correspond à aucune des six commissions permanentes, le gouvernement, ou les assemblées parlementaires, peuvent demander la création d'une commission spéciale pour examiner ce texte de loi.

Les assemblées peuvent créer des missions d'information et des commissions d'enquête sur des sujets précis.

Un ou plusieurs députés peuvent demander la création d'une commission d'enquête.

Si l'Assemblée le décide par un vote, une commission d'enquête constituée de 30 députés peut effectuer, pour une durée de six mois, des investigations sur un problème particulier (situation de l'industrie automobile, sida, etc.).

Les séances publiques

La partie la plus visible de l'activité parlementaire a lieu en séance plénière. Les séances des deux assemblées sont publiques. Le compte rendu intégral des débats est publié au *Journal officiel*.
Il est possible d'assister aux débats depuis l'une des tribunes ouvertes au public. Les dix premières personnes qui se présentent à l'entrée ont droit à une place. Il est plus sûr de demander une invitation à son député ou à son sénateur.

ÉTAT

VIE POLITIQUE

ADMINISTRATION

COLLECTIVITÉS LOCALES

JUSTICE

INTERNATIONAL

Comment est votée une loi ?

Le vote de la loi se fait selon un mécanisme complexe. Le texte est examiné successivement par les deux assemblées car c'est un texte identique qui doit être adopté. Le pouvoir législatif constitue la part importante du travail de l'Assemblée nationale et du Sénat.

L'initiative et le dépôt du texte

Elle appartient au Premier ministre, au nom du gouvernement, c'est alors un projet de loi ; à chaque député et à chaque sénateur, c'est alors une proposition de loi.

Le projet de loi ou la proposition est déposé sur le bureau de l'Assemblée nationale [*p. 42*] ou du Sénat [*p. 44*]. Le projet de loi des finances est soumis d'abord à l'Assemblée nationale.

L'examen par une commission

Le texte est alors examiné par l'une des six commissions permanentes [*p. 46*] de l'assemblée saisie ou par une commission spéciale créée à cet effet. La commission désigne un rapporteur.

L'inscription à l'ordre du jour

La conférence des présidents [*p. 46*] fixe l'ordre du jour en tenant compte des priorités fixées par le gouvernement.

La discussion s'ouvre par l'intervention du rapporteur qui présente le texte et les conclusions de la commission. Ensuite les orateurs inscrits donnent l'avis de leur groupe politique [*p. 46*] sur le texte. Commence ensuite la discussion par articles. Le texte initial peut subir des modifications appelées amendements.

Le vote

Pour éviter les amendements, le gouvernement peut recourir à la procédure du « vote bloqué ». Il oblige l'assemblée saisie à adopter le texte tel qu'il est ou à le repousser sans pouvoir le modifier. Il peut engager sa responsabilité à propos d'un projet de loi.

Un texte est voté quand il est adopté en termes identiques par l'Assemblée nationale ou le Sénat.

La promulgation

Quand la loi est votée, le président de la République [*p. 34*] la signe et la date, dans un délai de quinze jours : c'est la promulgation. Pendant ce délai, le président peut demander au Parlement une nouvelle délibération de la loi. La loi peut être soumise au Conseil constitutionnel [*p. 56*] à la demande du président de la République, du Premier ministre, du président de chaque assemblée, ou de soixante députés ou sénateurs.

LA NAVETTE PARLEMENTAIRE

Pour être adopté définitivement, un texte législatif doit être examiné suc-cessivement par les deux assem-blées. Ces lectures se poursuivront jusqu'à l'adoption d'un texte iden-tique.

■ Situation 1

L'Assemblée nationale adopte le texte en première lecture.
Le texte est examiné par le Sénat qui l'adopte dans les mêmes termes.
La procédure est terminée, la loi est votée.

■ Situation 2

L'Assemblée nationale examine le texte en première lecture.
Le Sénat modifie le texte transmis.
Le texte retourne à l'Assemblée nationale. C'est le début du va-et-vient entre les deux assemblées qu'on appelle « navette parlemen-taire ».
Si, après deux lectures dans chaque assemblée, le texte est adopté en termes identiques, la loi est votée.

■ Situation 3

Après deux lectures dans chaque assemblée, il est possible que le désaccord persiste. Le Premier mi-nistre peut demander la réunion d'une « commission mixte paritaire » formée de sept députés et de sept sénateurs. Cette commission élabore un nouveau texte soumis à chaque assemblée. Si ce nouveau texte est voté par les deux chambres, la loi est adoptée, sinon le Premier ministre demande aux dépu-tés de trancher.

Le *Journal officiel*

C'est dans le *Journal officiel* que sont publiés les textes de lois et les décrets. Une loi ne peut être appliquée que lorsque les décrets d'application sont parus au *Journal officiel*. Avant cette parution, même votée par le Parlement, la loi ne peut être appliquée. On peut consulter le *Journal officiel* à la sous-préfecture, on peut également s'y abon-ner.

ÉTAT

VIE POLITIQUE

ADMINISTRATION

COLLECTIVITÉS LOCALES

JUSTICE

INTERNATIONAL

Les lois et les règlements

Le Parlement fait des lois dans des domaines qui sont énumérés par la Constitution. Le pouvoir exécutif (président de la République et gouvernement) prend aussi des décisions qui s'imposent à tous les citoyens. Ces décisions s'appellent des règlements.

Les lois ordinaires

Les lois ordinaires ou parlementaires constituent l'essentiel de l'activité du Parlement qui assure le pouvoir législatif. Les lois votées peuvent modifier les droits civiques, les libertés publiques, le service national, la nationalité, les régimes matrimoniaux, la détermination des crimes, des délits, des peines, la procédure pénale, l'amnistie, les juridictions, le statut des magistrats, la fiscalité, les nationalisations, le régime électoral, l'organisation et la compétence des collectivités locales, l'enseignement, le droit syndical et la Sécurité sociale.

Les lois de finances déterminent les recettes et les dépenses [*p. 60*] de l'État.

Les lois de programme fixent les objectifs économiques de l'État.

Les lois organiques

Ce sont des lois qui précisent ou complètent la Constitution. Par exemple, une loi organique fixe le nombre de membres de l'Assemblée nationale et du Sénat.

Les lois organiques sont soumises au Conseil constitutionnel [*p. 56*] et votées comme des lois ordinaires. Toutefois, en cas de désaccord entre les chambres, l'Assemblée nationale doit les adopter à la majorité absolue de ses membres.

La loi constitutionnelle

Chaque article de la Constitution est une loi constitutionnelle. Elle est adoptée par référendum [*p. 20*] ou par le Parlement réuni en congrès (réunion des députés et des sénateurs). Le texte doit alors être adopté à la majorité des 3/5.

La loi Constitutionnelle est la plus importante car toutes les autres lois (ordinaires ou organiques) doivent lui être soumises.

Le président de la République et le gouvernement peuvent prendre des décisions dans tous les domaines qui ne sont pas réservés au Parlement. Ce sont les décrets, les arrêtés, les ordonnances et les circulaires.

■ Les décrets

Le président de la République prend des décisions appelées décrets présidentiels. Il nomme le Premier ministre par décret. Le chef de l'État signe également les décrets pris en Conseil des ministres, il y aura alors contre-seing (signature) du Premier ministre et des ministres intéressés.

Le Premier ministre prend des décisions appelées décrets ministériels pour l'exécution des lois votées par le Parlement. Il dispose également d'un pouvoir de décision autonome ; par décret, il peut décider que tout fonctionnaire engagé dans une procédure disciplinaire a le droit d'obtenir la communication des documents contenus dans son dossier.

■ Les arrêtés

Ce sont des décisions prises par une autorité administrative.

Un arrêté ministériel est élaboré et signé par un ministre (un arrêté ministériel fixe la durée hebdomadaire de la scolarité à l'école primaire).

Un arrêté rectoral est élaboré et signé par un recteur d'académie.

Un arrêté préfectoral est élaboré et signé par un préfet.

Un arrêté municipal est signé par le maire.

■ Les ordonnances

Le Parlement peut autoriser le gouvernement à prendre, par ordonnances, des mesures qui sont normalement du domaine de la loi. Les ordonnances sont prises en Conseil des ministres après avis du Conseil d'État. Assimilées à des règlements, elles entrent en vigueur quand elles sont signées par le président de la République et quand elles sont publiées. Elles deviennent cependant « caduques » (sans effet) si un projet de loi de ratification n'est pas déposé devant le Parlement dans un délai fixé. La procédure des ordonnances est une innovation de la Ve République.

■ Les circulaires

Ce sont des textes internes à une administration et qui ne concernent que son personnel.

Le Parlement réuni en congrès

Un projet de révision de la Constitution peut être adopté par référendum ou par le Parlement réuni en congrès à la demande du président de la République. Pour être approuvée, la révision doit obtenir la majorité des 3/5 des suffrages exprimés. La tradition fait que c'est à Versailles que le Parlement se réunit au complet avec tous les députés et sénateurs.

ÉTAT

VIE POLITIQUE

ADMINISTRATION

COLLECTIVITÉS LOCALES

JUSTICE

INTERNATIONAL

La motion de censure

Le gouvernement est responsable de son action devant les députés. L'Assemblée nationale peut mettre en cause la responsabilité du gouvernement par le dépôt d'une motion de censure qui, si elle est votée, entraîne alors la démission du gouvernement.

▬▬ Le mécanisme de la motion de censure

La motion de censure est l'acte par lequel les députés [*p. 42*] mettent en jeu la responsabilité du gouvernement et cherchent à le renverser. Cette initiative de l'Assemblée nationale porte le nom de motion de censure offensive.

Pour être adoptée, une motion de censure doit franchir trois étapes.

1. Le dépôt :
la motion de censure doit être déposée par au moins 1/10 des députés qu'on appelle alors signataires.

2. Le délai de réflexion :
un délai de 48 h, appelé délai de réflexion, doit s'écouler entre le dépôt et le vote.

3. Le vote :
pour être adoptée, la motion de censure doit obtenir la majorité absolue des membres composant l'Assemblée nationale. Seuls sont recensés les votes favorables à la motion.

$$\text{nombre de oui} \geq \frac{\text{nombre de députés composant l'Assemblée}}{2} + 1$$

Pour le vote d'une motion de censure, les députés se déplacent à la tribune.

Il a lieu par scrutin public à la tribune par appel nominal.

▬▬ Les effets du dépôt d'une motion de censure

Si la motion est votée, le Premier ministre [*p. 38*] est contraint de remettre au président de la République la démission de son gouvernement [*p. 40*].
Le gouvernement est renversé.

Si la motion de censure est rejetée parce qu'elle n'a pas atteint la majorité absolue des membres de l'Assemblée nationale, le gouvernement reste en place et les membres signataires ne peuvent proposer une autre motion de censure offensive dans la même session [*p. 46*] sauf en cas d'engagement de la responsabilité du gouvernement.

EXEMPLE DE DÉROULEMENT DU SCRUTIN

■ Annonce du vote sur la motion de censure

M. le président. Je vais mettre aux voix la motion de censure.

En application des articles 65 et 66, paragraphe II, du règlement, il doit être procédé au vote par scrutin public à la tribune.

Le scrutin va avoir lieu par bulletins.

Je prie Mmes et MM. les députés disposant d'une délégation de vote de vérifier immédiatement au bureau des secrétaires, à ma gauche, si leur délégation a bien été enregistrée à la présidence.

Je vais tirer au sort la lettre par laquelle commencera l'appel nominal.

(Le sort désigne la lettre T.)

M. le président. Le scrutin va être annoncé dans le Palais.

....
....
....

■ Préparation du vote et consignes

M. le Président. Afin de faciliter le déroulement ordonné du scrutin, j'invite instamment nos collègues à ne monter à la tribune qu'à l'appel de leur nom ou de celui de leur délégant.

Je rappelle à ceux de nos collègues disposant d'une délégation qu'ils doivent remettre à MM. les secrétaires, non pas un bulletin ordinaire, mais une consigne écrite sur laquelle sont portés le nom du délégant, le nom et la signature du délégué.

Je rappelle également que seuls les députés favorables à la motion de censure participent au scrutin.

J'invite donc MM. les secrétaires à ne déposer dans l'urne que les bulletins blancs ou les délégations « pour ».

Le scrutin est ouvert.

Il sera clos à zéro heure treize.

Messieurs les huissiers, veuillez commencer l'appel nominal.

(L'appel a lieu. — Le scrutin est ouvert à vingt-trois heures vingt-huit.)

....
....
....

■ Clôture du scrutin

M. le président. Personne ne demande plus à voter ?...

Le scrutin est clos.

J'invite MM. les secrétaires à se retirer dans le cinquième bureau pour procéder au dépouillement des bulletins. Le résultat du scrutin sera proclamé ultérieurement.

■ Suspension de séance

M. le président. La séance est suspendue.

(La séance, suspendue à zéro heure quinze, est reprise à zéro heure trente-cinq.)

■ Annonce du résultat

M. le président. La séance est reprise. Voici le résultat du scrutin :

....
....
....

ÉTAT

VIE POLITIQUE

ADMINISTRATION

COLLECTIVITÉS LOCALES

JUSTICE

INTERNATIONAL

La question de confiance

Le gouvernement peut, de lui-même, engager sa responsabilité devant l'Assemblée nationale. Il pose ce que l'on appelle la question de confiance sur son programme, sur un débat de politique générale ou à l'occasion d'un projet de loi. Les députés doivent alors se prononcer.

▬▬▬ La question de confiance sur un programme ou sur une déclaration de politique générale

Le Premier ministre [*p. 38*], après délibération en Conseil des ministres, peut engager la responsabilité de son gouvernement [*p. 40*] sur son programme ou sur une déclaration de politique générale.

Le vote de confiance a lieu à la majorité simple des membres de l'Assemblée nationale [*p. 42*].

Si la confiance est votée, le gouvernement reste en place.

Si la confiance est refusée, le gouvernement est renversé et le Premier ministre remet la démission de son gouvernement au président de la République [*p. 36*].

▬▬▬ La question de confiance à propos d'un texte

Après délibération en Conseil des ministres, le Premier ministre peut engager la responsabilité du gouvernement devant l'Assemblée nationale à propos d'un texte ou projet de loi [*p. 50*]. Dans ce cas, les députés peuvent avoir deux attitudes.

☐ Si les députés ne déposent pas de motion de censure dans les 24 heures [*p. 52*] : le gouvernement estime avoir la confiance de l'Assemblée. Le texte de loi est considéré comme adopté, sans vote.

☐ Les députés peuvent déposer une motion de censure (dite défensive). Elle doit être signée par 1/10 des députés et le vote a lieu après le délai de réflexion de 48 h.

Si la motion est votée, le gouvernement est renversé et le texte de loi est refusé.

Si la motion de censure est rejetée, le gouvernement estime avoir la confiance de l'Assemblée nationale et il reste en place, le texte est considéré comme adopté.

Cette procédure de la question de confiance à propos d'un texte permet au gouvernement d'obtenir qu'un texte soit rapidement adopté.

QUAND LE PREMIER MINISTRE UTILISE LE 49-3

C'est l'article 49 de la Constitution, alinéa 3, qui autorise le Premier ministre à engager la responsabilité de son gouvernement, devant les députés, à propos d'un texte.

• *1re possibilité*

Le Premier ministre engage la responsabilité de son gouvernement à propos d'un texte.

Les députés ne déposent pas de motion de censure.

Le gouvernement reste en place et le texte est adopté.

• *2e possibilité*

La motion est votée.

Le gouvernement est renversé, le texte est rejeté.

La motion est rejetée.

Le gouvernement reste, le texte est adopté.

Le Premier ministre engage la responsabilité de son gouvernement à propos d'un texte.

1/10e des députés déposent une motion de censure.

ÉTAT

VIE POLITIQUE

ADMINISTRATION

COLLECTIVITÉS LOCALES

JUSTICE

INTERNATIONAL

Le Conseil constitutionnel

Le Conseil constitutionnel est chargé de veiller au respect de la Constitution : c'est lui qui déclare que les lois votées sont conformes aux institutions. Il s'assure de la légalité des opérations de vote et il est consulté dans des circonstances graves. Il siège à Paris, au Palais-Royal.

Quelle est sa composition ?

Il comprend neuf membres encore appelés les « neuf sages » :
- trois de ses membres sont nommés par le président de la République [*p. 36*] ;
- trois membres sont nommés par le président de l'Assemblée nationale, [*p. 42*] ;
- trois membres sont nommés par le président du Sénat [*p. 44*].
Le président du Conseil constitutionnel est nommé par le président de la République et a voix prépondérante en cas de partage des voix lors d'un vote.
En plus des neuf membres, en font partie de droit et à vie les anciens présidents de la République.
Le Conseil constitutionnel se renouvelle par tiers tous les trois ans. Le mandat des membres est de neuf ans et n'est pas renouvelable.

Quel est son rôle lors des consultations électorales ?

Lors des élections présidentielles [*p. 34*]
Il veille à la régularité de l'élection du président de la République.
Il examine les réclamations.
Il proclame les résultats du scrutin.
Lors des élections législatives et sénatoriales [*p. 21*]
Il statue en cas de contestation sur la régularité de l'élection des députés et des sénateurs.
Tout électeur, et toute personne ayant fait acte de candidature, peut saisir le Conseil constitutionnel s'il estime qu'une irrégularité a été commise. Il dispose de dix jours après la proclamation des résultats pour demander l'annulation de l'élection.
Le Conseil constitutionnel peut, le cas échéant, ordonner une enquête et se faire communiquer tout document ayant trait à l'élection, notamment les comptes de campagne établis par les candidats intéressés.
Lors d'un référendum [*p. 20*]
Le Conseil constitutionnel est consulté par le gouvernement sur l'organisation des opérations de référendum.
Le Conseil constitutionnel veille à la régularité des opérations de référendum et en proclame les résultats.

LE RESPECT DE LA CONSTITUTION

■ Le Conseil constitutionnel est garant du respect de la Constitution

Les lois organiques, avant leur promulgation, et les règlements des assemblées parlementaires avant leur mise en application, doivent être soumis au Conseil constitutionnel qui se prononce sur leur conformité à la Constitution.

Les lois ordinaires peuvent être envoyées au Conseil constitutionnel avant leur promulgation par le président de la République, le Premier ministre, le président de l'Assemblée nationale, le président du Sénat et depuis la réforme constitutionnelle adoptée par le Parlement réuni en congrès le 29 octobre 1974, par 60 députés ou 60 sénateurs.

Le Conseil constitutionnel statue (donne sa décision) dans un délai d'un mois. Ce délai est réduit à 8 jours quand le gouvernement déclare l'urgence.

La saisie du Conseil constitutionnel suspend le délai de promulgation.

Le Conseil constitutionnel peut trancher entre le gouvernement et les assemblées pour déterminer la frontière entre le domaine réglementaire et le domaine de la loi.

Une disposition déclarée inconstitutionnelle ne peut être ni promulguée ni mise en application. Les décisions du Conseil constitutionnel ne sont pas susceptibles d'aucun recours.

■ Les obligations imposées aux membres du Conseil constitutionnel

Avant d'entrer en fonction, les membres nommés du Conseil constitutionnel prêtent serment devant le président de la République.

Ils jurent de bien et fidèlement remplir leurs fonctions, de les exercer en toute impartialité dans le respect de la Constitution, de garder le secret des délibérations et des votes et de ne prendre aucune position publique, de ne donner aucune consultation sur les questions relevant de la compétence du Conseil.

Un acte est dressé de la prestation de serment.

Les fonctions des membres du Conseil constitutionnel sont incompatibles avec celles de membre du gouvernement ou du Parlement ou du Conseil économique et social.

Pendant la durée de leurs fonctions, les membres du Conseil constitutionnel ne peuvent être nommés à aucun emploi public ni, s'ils sont fonctionnaires publics, recevoir une promotion au choix.

Les circonstances exceptionnelles

Le Conseil constitutionnel constate l'état de vacance de la présidence de la République.
Ce fut le cas en 1969 après la démission du général de Gaulle et, en 1974, après le décès de Georges Pompidou.
Le Conseil constitutionnel est consulté avant la prise des pleins pouvoirs par le président de la République. Ce fut le cas en 1961 lors du putsch d'Alger. L'avis motivé du Conseil constitutionnel est publié au *Journal officiel*.

ÉTAT

VIE POLITIQUE

ADMINISTRATION

COLLECTIVITÉS LOCALES

JUSTICE

INTERNATIONAL

Le Conseil économique et social

Troisième assemblée constitutionnelle de la République, il siège à Paris, au palais d'Iéna. Il conseille le gouvernement et participe à l'élaboration de la politique économique et sociale du pays.

Le gouvernement consulte le Conseil économique et social

Il le consulte obligatoirement pour tous les projets de loi [*p. 50*], de programme ou de plan.

Exemples : les grandes orientations du XIe plan, l'avant-projet de loi relatif au patrimoine monumental.

Le gouvernement consulte éventuellement le conseil pour tout sujet économique ou social.

Exemples : la présence française à l'étranger, l'informatique et emploi, la politique familiale française.

Le Conseil économique et social émet des avis

Chaque semestre, il émet un avis sur la situation économique des six mois précédents et sur les perspectives du semestre suivant. Il peut de sa propre initiative appeler l'attention du gouvernement sur des sujets très divers.

Exemples : les foires, les expositions et les salons spécialisés, la protection et la mise en valeur des espaces naturels, la qualité de la vie dans les banlieues des grandes villes, la santé et les problèmes hospitaliers.

Qui siège au Conseil économique et social ?

Le Conseil économique et social comprend 231 membres désignés ou nommés pour une durée de cinq ans. 70 % des membres sont désignés par l'organisation qu'ils représentent : organisations syndicales, professionnelles, organismes de la coopération et de la mutualité, associations familiales. 30 % des membres sont nommés par le gouvernement : représentants des entreprises publiques, des Français établis hors de France, des personnalités qualifiées...

L'organisation du Conseil économique et social

Le bureau : le président et dix-huit membres élus au scrutin secret, pour deux ans et six mois. Il fixe l'ordre du jour des travaux.

Les sections spécialisées : au nombre de neuf, chaque section comprend 27 à 29 membres et couvre un secteur d'activité. Dans leur spécialité, elles préparent les rapports et les avis. Une commission spéciale prépare les avis et rapports concernant le plan et les problèmes de planification.

L'assemblée plénière : réunie en séance publique, une à deux fois par mois, elle vote les avis préparés par les sections spécialisées.

LE FONCTIONNEMENT DU CONSEIL

Le Président

Bureau

Section agriculture et alimentation

Section cadre de vie

Section affaires sociales

Section économies régionales et aménagement du territoire

Section travail

Section finances

Section activités productives, recherche et technologie

Section relations extérieures

Section problèmes économiques généraux et conjoncture

DOSSIER

DOSSIER

PERSONNALITÉS QUALIFIÉES

C.G.T. F.O.

C.G.T.

Représentants de la FNSP et du MODEF.

Représentants du logement.

F.E.N.

MUTUALITÉ

A B

ASSOCIATIONS

U.N.A.F.

Représentants de l'épargne.

C

C.F.E.

C.G.G.

C.F.D.T.

C.F.T.C.

AGRICULTURE

D.T.O.M.

PROF. LIB.

ENTREPRISES PRIVÉES

ENTREPRISES PRIVÉES

GOUVERNEMENT

D

ARTISANAT

COOPÉRATION

Représentants des Français établis hors de France.

ASSEMBLÉE DU CONSEIL ÉCONOMIQUE ET SOCIAL

DOSSIER

DOSSIER

DOSSIER

Gouvernement

Parlement

Public

59

ÉTAT

VIE POLITIQUE

ADMINISTRATION

COLLECTIVITÉS LOCALES

JUSTICE

INTERNATIONAL

La préparation et le vote du budget

La préparation du budget de l'État est effectuée par le gouvernement. La discussion et le vote par le Parlement occupent la quasi-totalité de la session d'automne.

Qu'appelle-t-on budget ?

Le budget de l'État est la prévision des dépenses et des recettes de l'État pour une année.

Il est conçu dans le cadre d'une loi de finances [p. 50], votée par le Parlement. On distingue la loi de finances de l'année, la loi rectificative et la loi de règlement.

☐ La loi de finances de l'année : elle détermine la nature et le montant des dépenses et des recettes. Elle est votée avant le début de l'année.

☐ La loi de finances rectificative : appelée aussi « collectif budgétaire ». Elle modifie en cours d'année le budget initial en fonction de l'évolution économique et des besoins ressentis, ou d'un changement de politique gouvernementale.

☐ La loi de règlement : elle constate les résultats financiers définitifs pour l'année écoulée.

Le budget se prépare en plusieurs étapes

La préparation du budget de l'année (*n*) s'échelonne sur toute l'année qui précède son application (*n*-1).

1. Recensement des besoins et arbitrage du Premier ministre [p. 38].

Chaque ministre effectue des propositions qui comprennent la reconduction des dépenses et les dépenses nouvelles.

La reconduction des moyens prévus au budget précédent (exemple : traitement des fonctionnaires, dépenses courantes de la défense nationale, des services de police) : ces sommes représentent plus de 90 % de l'ensemble du budget.

Les dépenses nouvelles correspondent aux actions nouvelles que chaque ministre désire entreprendre dans le cadre de la politique définie.

2. Le Conseil des ministres approuve le projet de loi de finances.

3. Le projet de budget est adressé au Parlement, avant le premier mardi d'octobre.

4. L'Assemblée nationale [p. 42] doit se prononcer en première lecture dans les quarante jours ; le Sénat [p. 44] dans les vingt jours.

Qu'est-ce qu'un déficit budgétaire ? (ou découvert budgétaire)

Il y a déficit budgétaire (ou découvert budgétaire) lorsque les dépenses sont supérieures aux recettes.

LE CALENDRIER DU BUDGET DE LA NATION

Mois		
Janvier (année *n*-1)	**1. Cadrage et perspectives** Analyse détaillée des dépenses ou des recettes effectives par la Direction du budget du ministère des Finances.	
Février	Définition des grandes orientations de la politique budgétaire pour l'année à venir.	
Mars		
Avril	« Lettre de cadrage » du Premier ministre, adressée à tous les ministres, pour donner les instructions nécessaires à la préparation de leur budget.	
Mai	**2. Mise au point définitive du projet de loi de finances**	
Juin	Arbitrages rendus par le Premier ministre.	
Juillet	Détermination définitive des recettes et des dépenses.	
Août	Élaboration détaillée du budget et réalisation des fascicules budgétaires.	
Sept.	Présentation au Conseil des ministres.	

3. Vote du budget de l'année « *n* ».

Oct.

Discussion et vote du budget par le Parlement (Assemblée nationale et Sénat).

Nov.

Déc. Publication de la loi de finances, au *Journal officiel*.

4. Exécution du budget
Les opérations figurant dans le budget voté sont exécutées selon des règles précises, dans le cadre de l'année civile.
Elles peuvent être modifiées par une loi de finances rectificative appelée « collectif budgétaire ».

Année budgétaire *n*

Le budget dépasse deux mètres

Le budget et ses annexes, ce sont 159 fascicules budgétaires soit 24 à 25 000 pages, une pile de 2,3 m de haut et un poids de 50 kg.
Il faut 90 tonnes de papier pour assurer l'ensemble de sa diffusion : 280 000 fascicules.
200 personnes travaillent à temps complet à la Direction du budget.

ÉTAT
VIE POLITIQUE
ADMINISTRATION
COLLECTIVITÉS LOCALES
JUSTICE
INTERNATIONAL

L'exécution et le contrôle du budget de l'État

Après son vote par le Parlement et après sa publication au *Journal officiel*, le budget de l'État est mis en application. On perçoit alors les recettes et on engage les dépenses prévues.

Les conditions d'exécution du budget

Les opérations d'exécution du budget sont divisées en deux phases distinctes, confiées à deux catégories d'agents publics, indépendants l'un de l'autre, les ordonnateurs et les comptables.

Les ordonnateurs préparent l'exécution des dépenses ou le recouvrement des recettes. Ils établissent soit un titre de perception pour les recettes, soit une ordonnance ou mandat de paiement pour les dépenses.

Les comptables du Trésor public sont chargés de procéder à l'encaissement des recettes et de payer les dépenses de l'État.

À l'échelon départemental, le trésorier payeur général est le comptable principal de l'État. Il paye les dépenses prévues au budget de l'État et dirige les services départementaux du Trésor chargés d'encaisser les principaux impôts.

L'exécution de la dépense publique

1. L'engagement de la dépense : c'est la décision de procéder à cette dépense.
2. La liquidation : on détermine le montant exact de cette dépense.
3. L'ordonnancement : c'est l'ordre de payer donné par l'ordonnateur.
4. Le paiement : le versement est effectué par le comptable du Trésor.

Le contrôle de l'exécution du budget

Ce contrôle est effectué à plusieurs niveaux.

Avant l'exécution : un contrôleur financier garantit le respect des décisions budgétaires pour éviter, par exemple, toute dépense non autorisée.

En cours d'exécution : il est exercé soit par les comptables publics chargés d'appliquer les règles de la comptabilité publique, soit par l'Inspection générale des finances qui vérifie, sur place, la gestion de tous les organismes gérant des fonds de l'État.

Après l'exécution : les contrôles sont effectués par la Cour des comptes qui est une juridiction composée de magistrats inamovibles.

RECETTES ET DÉPENSES DU BUDGET

■ Où va l'argent ? Les dépenses

Fonctionnement des services généraux du pays (environ 26 %)

- Services publics
- Justice
- Police
- Diplomatie, etc.
- Aménagement territoire

Affaires sociales, Santé et Travail (environ 23 %)

- L'emploi
- Le logement
- Allocations diverses
- Prévention santé, etc.

Éducation (environ 22 %)

- Salaires des enseignants
- Universités,
- Recherche scientifique, etc.

Défense (environ 16 %)

- Armée de terre
- Marine
- Armée de l'air
- Gendarmerie, etc.

Action économique et environnement (12 %)

- Reconversions
- Projets scientifiques et économiques
- Maîtrise de l'énergie, etc.

Culture (environ 1 %)

- Maisons de la culture
- Théâtres, musées, cinéma, etc.

■ D'où vient l'argent ? Les recettes

Taxe sur la valeur ajoutée (environ 45 % des recettes)

Elle est perçue à chaque vente de biens, de produits ou de services.

Impôts sur le revenu (environ 18 % des recettes)

Autres impôts (environ 7 % des recettes) : enregistrement, timbres, impôts sur les opérations de Bourse, taxes parafiscales (PMU, LOTO).

Impôts sur les sociétés (environ 7 % des recettes)

Taxe intérieure sur les produits pétroliers (environ 8 % des recettes)

Recettes non fiscales (environ 7 % des recettes) : Domaines de l'État...

Emprunt

ÉTAT

VIE POLITIQUE

ADMINISTRATION

COLLECTIVITÉS LOCALES

JUSTICE

INTERNATIONAL

L'Administration

> Tout pouvoir politique dispose d'une structure administrative pour mettre en application ses décisions et satisfaire des besoins collectifs sous forme de service ou d'entreprise publique. L'Administration est le seul pouvoir avec lequel le citoyen est en contact tous les jours.

▬▬ Les administrations de l'État

Placées sous l'autorité du Premier ministre et de chacun des ministres, elles se composent d'administrations centrales et de services déconcentrés répartis sur tout le territoire.

Au niveau central : les administrations centrales

Leur sont confiées les missions qui présentent un caractère national.

Le Premier ministre [*p. 38*] possède un Secrétariat général du gouvernement qui coordonne l'ensemble de l'activité des différents ministères.

Chaque ministre dispose de l'ensemble de son ministère qui est composé d'administrations centrales à Paris et d'administrations locales, réparties sur tout le territoire, appelées services déconcentrés.

Au niveau local : l'administration territoriale

Les services déconcentrés des administrations de l'État sont chargés de la mise en application les lois et règlements de chaque ministère, sur l'ensemble du territoire national. Elles assurent les relations entre l'État et les collectivités territoriales.

▬▬ Les administrations des collectivités territoriales

Chaque collectivité territoriale dispose de services administratifs autonomes pour mettre en application les décisions prises par les élus.

Le conseil régional [*p. 82*] possède les services administratifs de la région.

Le conseil général possède les services administratifs du département.

Le conseil municipal [*p. 96*] possède les services municipaux.

▬▬ Les moyens de l'administration

Toute administration dispose de moyens juridiques, budgétaires, matériels et humains.

Juridiques. Elle fixe les modalités de mise en application des lois et règlements [*p. 50*]. Ex. : arrêté municipal pour réglementer la circulation.

Budgétaires. Elle donne les ordres nécessaires pour exécuter un budget. Ex. : passation d'un marché pour l'équipement de bureau.

Matériels. Elle utilise des locaux et du matériel. Ex. : les services municipaux sont installés dans une mairie.

Humains. Elle gère le corps des fonctionnaires mis à sa disposition. Ex. : les élus locaux disposent des agents de la fonction publique territoriale (secrétaires de mairie, agents d'entretien…).

LES FONCTIONNAIRES

■ Les trois fonctions publiques

Un fonctionnaire occupe un emploi permanent dans une administration publique de l'État, une administration publique d'une collectivité territoriale, une administration publique d'un établissement hospitalier.

■ Le recrutement

Le mode d'accès normal à la fonction publique est le concours afin de garantir l'égalité d'accès à la fonction publique. Le statut général des fonctionnaires prévoit l'organisation de deux types de concours :

– le concours externe réservé aux titulaires de certains diplômes ;
– le concours interne réservé aux fonctionnaires ayant une certaine ancienneté.

■ La carrière

Les fonctionnaires sont répartis en quatre catégories selon leur niveau de recrutement (A licence, B baccalauréat, C brevet, D sans diplôme) et une catégorie hors échelle (de A à G). Ils appartiennent à des corps qui comprennent un ou plusieurs grades. Chaque grade comporte plusieurs échelons.

Effectifs des principaux ministères

A - Éducation nationale.
B - Défense[1].
C - Économie, finances et budget.
D - Intérieur[1].
E - Équipement et transports.
F - Justice.
G - Agriculture.
H - Ministères sociaux.
I - Culture.
J - Affaires étrangères et coopératives.
K - Autres ministères

1. Hors appelés du contingent.

A 1 058 300
B 405 200
C 177 900
D 163 100
E 113 100
F 57 200
G 29 700
H 26 200
I 12 100
J 10 300
K 31 500

ÉTAT

VIE POLITIQUE

ADMINISTRATION

COLLECTIVITÉS LOCALES

JUSTICE

INTERNATIONAL

L'Administration centrale

On retrouve sur tout le territoire français différents services administratifs (impôts, enseignement, police...). Ces services sont centralisés, organisés et coordonnés par une Administration centrale. L'Administration obéit au principe hiérarchique.

▬▬▬ Le Premier ministre [*p. 38*], chef de l'Administration

Il est le chef de l'Administration. Il définit, en fonction des choix politiques prioritaires, le nombre, la désignation et le rôle de chaque ministère.

▬▬▬ Le ministre [*p. 40*], responsable d'un domaine d'intervention

Chaque ministre est responsable de la mise en application des décisions du gouvernement dans le domaine qui lui est réservé.

Il organise l'ensemble des services de son ministère, qui comprend un cabinet et des directions spécialisées.

Le cabinet est composé de conseillers et de collaborateurs directs du ministre. La durée de leur mission est liée à celle du ministre.

Le cabinet étudie et prépare toutes les décisions gouvernementales et administratives.

Plusieurs directions spécialisées, constituées de services très hiérarchisés traitent toutes les questions courantes relatives à leur domaine.

Il a un rôle administratif important :

- il dispose d'un pouvoir réglementaire ; pour la mise en application des lois et décrets [*p. 50*] il prend des arrêtés, et il élabore des circulaires pour réglementer le fonctionnement de ses services ;

- il est chargé de la gestion courante des différents services et de l'exécution du budget de son département ministériel ;

- il est chargé de la gestion du personnel dépendant de son ministère.

▬▬▬ Le ministre de l'Intérieur

Le ministre de l'Intérieur est chargé :

- de l'administration générale du territoire ; il exerce son action sur l'ensemble du pays par l'intermédiaire des préfets ;

- des collectivités locales : le ministre de l'Intérieur élabore les textes qui permettent la réalisation d'un minimum d'unité dans les réglementations locales.

Il est garant de la régularité des élections sur tout le territoire, et il assure la gestion du corps des préfets et du personnel des préfectures.

▬▬▬ L'Inspection générale de l'Administration

À la demande d'un ministre, elle effectue des missions de contrôle sur tous les services centraux et les services déconcentrés sur le territoire.

L'ADMINISTRATION CENTRALE DE L'ÉDUCATION NATIONALE

Inspections générales

Ministre
Secrétaires
d'État
Cabinets

Bureau de gestion
des recteurs

Bureau du Cabinet

Haut fonctionnaire
de Défense

Direction des lycées et collèges
(DLC)

Direction des écoles (DE)

Direction des personnels enseignants
des lycées et collèges (DPE)

Direction générale des finances et
du contrôle de gestion (DGF)

Direction des affaires générales
internationales et de la coopération
(DAGIC)

Direction de l'évaluation et
de la prospective (DEP)

Direction des personnels
administratifs, ouvriers et de service
(DPAOS)

Direction des personnels
d'inspection et de direction (DPID)

Direction de l'information et
des technologies nouvelles (DITEN)

ÉTAT

VIE POLITIQUE

ADMINISTRATION

COLLECTIVITÉS LOCALES

JUSTICE

INTERNATIONAL

L'administration territoriale

L'administration territoriale couvre l'ensemble du pays. Elle doit agir de manière à résoudre les problèmes spécifiques à chaque région, tout en restant le plus près possible des administrés. On distingue les services déconcentrés des différents ministères et les administrations des collectivités locales

▬▬ Les services et les administrations

L'administration territoriale est assurée par :
- les services déconcentrés des différents ministères, qui sont dirigés, sous l'autorité des ministres concernés, par le préfet ; ces services sont organisés en circonscriptions régionale, départementale et d'arrondissement ;
- les administrations des collectivités locales (région, département et commune) ; les collectivités locales possèdent un pouvoir de décision qui leur permet de disposer d'une liberté d'administration dans le cadre des lois de l'État.

▬▬ Le rôle du préfet de département

Le préfet de département, nommé en Conseil des ministres, est le représentant de l'État dans chaque département. Il a son siège à la préfecture.
Placé sous l'autorité du Premier ministre, le préfet de département représente chacun des ministres et dirige les services de l'État dans le département.
Il a la charge des intérêts nationaux, du respect des lois, de l'ordre public et du contrôle administratif.
Il assure le contrôle de la légalité des actes du conseil général, et des communes, après leur exécution.

▬▬ Le rôle du préfet de région

Le préfet de région est le représentant de l'État dans chaque région. Il a son siège à la préfecture où se trouve le chef-lieu de région. Ses attributions, au niveau de la région, sont comparables à celles des préfets. Il exerce un pouvoir sur les préfets de département, dans la mise en œuvre des politiques nationales de développement économique et social, et l'aménagement du territoire.
Il anime et coordonne les politiques de l'État en matière culturelle, et d'aménagement du territoire.

▬▬ Le rôle du sous-préfet

Il assure la coordination des services déconcentrés de l'État au niveau de l'arrondissement : agriculture, équipement…
Il est responsable de la sécurité et du maintien de l'ordre dans son arrondissement (forces de police, protection civile, service d'incendie et de secours, plan ORSEC…).

LES DIVISIONS ADMINISTRATIVES FRANÇAISES

■ Le territoire national

La France métropolitaine

Le territoire national comprend la France métropolitaine (continentale et Corse), 4 départements d'outre-mer et 4 territoires d'outre-mer.

■ La région

La région Alsace

Collectivité locale qui regroupe plusieurs départements. La France compte 26 régions, dont 4 en outre-mer. (Statut particulier pour la région Corse)

■ Le département

2 départements en Alsace :
le Haut-Rhin
le Bas-Rhin

Division administrative du territoire français. La France compte 100 départements dont 4 en outre-mer.

■ L'arrondissement

Le département du Bas-Rhin se compose de 7 arrondissements.

Division territoriale qui regroupe plusieurs cantons.
La France compte 339 arrondissements dont 12 en outre-mer.

■ Le canton

L'arrondissement de Haguenau, du département du Bas-Rhin, se divise en 3 cantons.

Division territoriale de l'arrondissement. On trouve en général au chef-lieu de canton une gendarmerie et une perception. La France compte 3 839 cantons dont 124 en outre-mer.
(Le canton correspond parfois à une seule commune.)

■ La commune

Le canton Bischwiller, situé dans l'arrondissement de Haguenau, rassemble 21 communes.

Unité de base de la division du territoire.
La France compte 36 547 communes dont 114 en outre-mer.

ÉTAT

VIE POLITIQUE

ADMINISTRATION

COLLECTIVITÉS LOCALES

JUSTICE

INTERNATIONAL

Le ministère de l'Intérieur et la police

Pour assurer la sécurité des citoyens, l'État dispose de la Police nationale dans les villes de 10 000 habitants et plus. Dans les autres communes, elle est assurée par la gendarmerie.

▬▬▬ Le rôle du ministère de l'Intérieur

☐ Chargé de la sécurité de l'État et de celle des citoyens, le ministère de l'Intérieur doit maintenir l'ordre républicain et protéger les personnes [*p. 10*] et les biens.

☐ La protection de la vie et des biens est de la compétence de la Direction de la sécurité civile dont la mission est double : la prévention et l'organisation des secours (plan ORSEC par exemple).

☐ La protection des personnes est assurée par la Direction générale de la police nationale.

▬▬▬ Les fonctionnaires de police des services actifs

☐ Comme tous les fonctionnaires [*p. 65*], ils sont recrutés par concours. Puis, ils sont nommés dans l'un des services relevant de l'une des directions de la police nationale, soit à Paris, dans les services centraux [*p. 66*] ou à la préfecture de police, soit dans un service de province.

☐ Les commissaires de police : ils constituent le corps de commandement de la police. Ils assument d'importantes responsabilités dans les différents services de police (sécurité publique, police judiciaire, renseignements généraux, surveillance du territoire).

☐ Les inspecteurs de police : l'inspecteur de police, placé sous l'autorité du commissaire qu'il seconde, est particulièrement chargé d'enquêtes judiciaires et de missions d'information et de surveillance dans les différents services de police.

☐ Les officiers de paix : l'officier de paix exerce le commandement du corps des gradés et gardiens de la paix des services de police en tenue (corps urbains, préfecture de police et CRS).

☐ Les gardiens de la paix : ils assurent la protection des personnes et des biens. Ils constatent les infractions aux lois et règlements et veillent au maintien de l'ordre public. Ils peuvent être promus brigadiers et brigadiers-chefs.

▬▬▬ Les fonctionnaires de police des services administratifs

Pour effectuer toutes les tâches administratives, le ministère recrute des secrétaires administratifs, des commis et des agents de bureau.

L'ORGANISATION DE LA POLICE

Sous l'autorité de la Direction générale de la police nationale, les fonctionnaires de police sont répartis dans les neuf directions et services actifs.

Inspection générale de la police nationale (appelée « Police des Polices »).	Contrôler les services de police, enquêter sur les personnels, procéder à des études et enquêtes pour améliorer le fonctionnement des services.
Service central des polices urbaines.	Assurer le bon ordre, la sécurité et la tranquillité publique (exemple : intervention police-secours).
Direction centrale de la police judiciaire (PJ).	Lutter contre les activités criminelles (crimes, trafic de stupéfiants, d'armes, banditisme, vols...)
Direction centrale des renseignements généraux (RG)	Rechercher et centraliser des renseignements nécessaires à l'information du gouvernement.
Service central des compagnies républicaines de sécurité (CRS).	Maintenir l'ordre public, surveillance des voies de communication, aérodromes, ports.
Service central de la police de de l'air et des frontières (PAF).	Surveiller la circulation transfrontière (2 875 km de frontières terrestres, 3 035 km de frontières maritimes et 116 aéroports).
Service des voyages officiels	Organiser les déplacements des personnalités officielles.
Direction de la surveillance du territoire (DST).	Lutter contre les activités de nature à nuire à la sécurité ou aux intérêts de la nation.
Service de la coopération technique internationale de la police.	Mener une action de coopération avec les pays qui en expriment le besoin (formation des policiers étrangers, conseils).

ÉTAT

VIE POLITIQUE

ADMINISTRATION

COLLECTIVITÉS LOCALES

JUSTICE

INTERNATIONAL

La défense nationale

> La défense a pour objet d'assurer en tout temps, en toutes circonstances et contre toutes les formes d'agression, la sécurité et l'intégrité du territoire ainsi que la protection de la population. Elle doit demeurer flexible pour s'adapter à tous les types de menaces. Elle doit pouvoir assurer la continuité de la vie économique.

▬▬▬ Les responsables de la politique de défense

Le président de la République [*p. 36*]

Il est garant de l'indépendance nationale, de l'intégrité du territoire et du respect des traités. Il est le chef des armées. Il peut donner l'ordre d'engager les forces nucléaires.

Le Parlement

Il fixe, par des lois, l'organisation et les moyens de la défense.

Le gouvernement

Il assure la mise en œuvre des mesures décidées lors des conseils et des comités de défense présidés par le président de la République.

Le Premier ministre [*p. 38*] : il est responsable de la défense nationale et coordonne l'activité en matière de défense des différents ministères.

Le ministre de la Défense : il exécute la politique militaire. Assisté des chefs d'état-major, il a autorité sur l'ensemble des forces et services des armées.

▬▬▬ L'organisation permanente des armées

L'état-major des armées : le chef d'état-major des armées, conseiller militaire du gouvernement, assiste le ministre de la Défense. Il veille à l'emploi et à l'organisation générale des forces militaires.

L'état-major de chaque armée est responsable de la préparation des forces armées.

▬▬▬ L'organisation territoriale de la Défense

Le territoire métropolitain est découpé en trois régions militaires de défense (RMD) identiques pour l'armée de terre, de l'air et la gendarmerie : Atlantique, Nord-Est, Méditerranée. Ces régions militaires de défense sont elles-mêmes subdivisées en huit circonscriptions militaires de défense (CMD) et un commandement militaire de l'Ile-de-France.

Le territoire est découpé en deux régions maritimes : région Atlantique (dont le commandement est à Brest), région Méditerranée (dont le commandement est à Toulon). Les départements et territoires d'outre-mer constituent cinq zones de défense : Antilles, Guyane, Sud de l'océan Indien, Polynésie et Nouvelle-Calédonie.

Dans chaque circonscription militaire de défense un préfet de zone de défense est chargé d'assurer la défense civile et économique.

ORGANISATION TERRITORIALE DE LA DÉFENSE

Légende :
- ● PC Région Terre - Gendarmerie
- ▽ PC Région aérienne
- ■ PC Région maritime
- • PC circonscription
- ⊙ PC commandement militaire de l'Île-de-France
- ▬ Limite région Terre - Air - Gendarmerie
- → Limite de région maritime
- ·········· Limite de circonscription militaire de défense
- ‑ ‑ ‑ ‑ Limite commandement militaire de l'Île-de-France

ÉTAT

VIE POLITIQUE

ADMINISTRATION

COLLECTIVITÉS LOCALES

JUSTICE

INTERNATIONAL

Les Forces armées françaises

L'effectif des Forces armées françaises s'élève à 500 000 hommes et femmes. Cet effectif se répartit entre l'armée de terre, l'armée de l'air, la marine et la gendarmerie.

Armée de terre

275 371 militaires, dont 138 054 appelés et 33 970 civils. Organisation :
- corps blindé mécanisé ;
- force d'action rapide, force militaire terrestre, forces outre-mer.

Armée de l'air

95 822 militaires, dont 34 690 appelés et 5 173 civils. Organisation :
- les forces aériennes stratégiques (FAS) constituent, avec le Mirage IV et les missiles SSBS, la force nucléaire stratégique ;
- la défense aérienne chargée de la surveillance de l'espace aérien dispose d'intercepteurs Mirage 2000 et Mirage F1 ;
- la force aérienne tactique (FATAC), équipée de Mirage 2000 et Jaguar ;
- le transport aérien militaire dispose de Transall, DC 8, Hercules, Mystère 20 et des hélicoptères Alouette, Puma, Écureuil et Fennec.

Marine nationale

71 298 militaires dont 18 761 appelés et 6 887 civils. Organisation :
- force océanique stratégique : 5 sous-marins lanceurs d'engins ;
- forces classiques de surface : 3 porte-aéronefs, dont 1 porte-hélicoptères, 91 bâtiments de surface ;
- forces sous-marines : 18 sous-marins ;
- Aéronautique navale : 140 aéronefs.

Gendarmerie

92 246 gendarmes dont 11 102 appelés du contingent et 983 civils.
L'implantation des brigades date de 1720. La Maréchaussée prend le nom de Gendarmerie nationale en 1791. La gendarmerie est chargée de veiller à la sûreté publique et au respect des lois. Elle participe à la défense militaire du pays. Organisation :
- brigades territoriales, une par canton (3 642 regroupant 50 800 gendarmes) ;
- gendarmerie mobile (128 escadrons) ;
- groupement de sécurité et d'intervention de la gendarmerie nationale (GSIGN) ;
- garde républicaine ;
- formations spécialisées (gendarmerie maritime, de l'air…).

LES GRADES ET LES INSIGNES

ARMÉE DE TERRE

Chez les officiers, aspirants, majors, adjudants-chefs et adjudants, les insignes de grade apparaissent sur le képi et les épaules.
Chez les autres sous-officiers et les militaires du rang, les images de grade apparaissent sur les manches.
Ce sont : des broderies d'or, des étoiles d'argent ou d'or, et suivant les armes des galons et des soutaches de métal or ou argent et des galons de laine de diverses couleurs.

OFFICIERS GÉNÉRAUX

Général d'armée | Général de corps d'armée | Général de division | Général de brigade

OFFICIERS SUPÉRIEURS

Colonel | Lieutenant-colonel | Chef de bataillon ou d'escadron(s)

OFFICIERS SUBALTERNES

Capitaine | Lieutenant | Sous-lieutenant | Aspirant

SOUS-OFFICIERS

Major | Adjudant chef | Adjudant

MILITAIRES DU RANG

Caporal chef ou brigadier chef | Caporal ou brigadier | Première classe

ADL | PDL
Sergent chef ou maréchal des logis chef | Sergent ou maréchal des logis

ARMÉE DE L'AIR

Les insignes de grade apparaissent sur la casquette et sur les manches.
Ce sont :
des broderies d'or,
des étoiles d'argent ou d'or,
des galons de métal or ou argent et des galons de laine orange.

OFFICIERS GÉNÉRAUX

Général d'armée aérienne | Général de corps aérien | Général de division aérienne | Général de brigade aérienne

OFFICIERS SUPÉRIEURS

Colonel | Lieutenant-colonel | Commandant

OFFICIERS SUBALTERNES

Capitaine | Lieutenant | Sous-lieutenant | Aspirant

SOUS-OFFICIERS

Major | Adjudant chef | Adjudant

MILITAIRES DU RANG

Caporal chef | Caporal | Première classe

Sergent chef | Sergent ADL | Sergent PDL

MARINE NATIONALE

Les insignes de grade apparaissent sur la casquette et sur les manches.
Ce sont :
des broderies d'or,
des étoiles d'argent ou d'or,
des galons de métal or ou argent et des galons de laine rouge.

OFFICIERS GÉNÉRAUX

Amiral | Vice amiral d'escadre | Vice amiral | Contre amiral

OFFICIERS SUPÉRIEURS

Capitaine de vaisseau | Capitaine de frégate | Capitaine de corvette

OFFICIERS SUBALTERNES

Lieutenant de vaisseau | Enseigne de vaisseau de 1ère classe | Enseigne de vaisseau de 2e classe | Aspirant

OFFICIERS MARINIERS

Major | Maître principal | Premier maître | Maître

QUARTIERS-MAÎTRES ET MATELOTS

Quartier maître de 1ère classe | Quartier maître de 2e classe | Matelot breveté

Second maître ADL | Second maître PDL

GENDARMERIE NATIONALE

Pour les officiers, majors, adjudants-chefs et adjudants, les insignes de grade apparaissent sur le képi et les épaules.
Pour les maréchaux des logis-chefs et gendarmes sur les manches seulement.
Pour les gendarmes auxiliaires sur les épaules.

OFFICIERS GÉNÉRAUX

Général de corps d'armée | Général de division | Général de brigade

OFFICIERS SUPÉRIEURS

Colonel | Lieutenant-colonel | Chef d'escadron

OFFICIERS SUBALTERNES

Capitaine | Lieutenant | Sous-lieutenant

SOUS-OFFICIERS

Major | Adjudant chef | Adjudant

GENDARMES AUXILIAIRES

Maréchal des logis | Brigadier chef | Brigadier | 1ère classe

Maréchal des logis chef | Gendarme

ÉTAT

VIE POLITIQUE

ADMINISTRATION

COLLECTIVITÉS LOCALES

JUSTICE

INTERNATIONAL

Le ministère de l'Éducation nationale

Le ministère met en place la politique éducative du gouvernement, définit les objectifs pédagogiques, élabore les programmes et les diplômes, assure le recrutement et la formation des personnels.

L'organisation des différents établissements publics

	Qui décide la construction ? Qui finance ?	Qui dirige l'établisse-ment ?	Quelles sont les instances de gestion et de concertation ?	Les enseignants	Qui décide des ouver-tures ? Des fermetures ?
ENSEIGNEMENT SUPÉRIEUR					
UNIVERSITÉ 86 universités 1 300 000 étudiants	Ministère : ex. de financement : 75 % État, 25 % collectivités locales	Président d'Université élu par le Conseil de l'Université	Conseils d'Université	• Professeurs d'Université • Maîtres de conférence	Pour diplôme national : le ministère ; diplôme d'université : le Conseil d'université
Institut universitaire de Technologie (IUT) 74 IUT 78 300 étudiants	Ministère	Directeur élu par le conseil d'administration	Conseil d'admi-nistration	• Professeurs d'enseignement supérieur • agrégés, • certifiés, • professionnels (vacataires)	Diplôme national : le ministère
ENSEIGNEMENT SECONDAIRE					
LYCÉES 2 768 établissements 1 950 000 élèves	Région	Proviseur nommé par le ministre	Conseil d'administration comprenant - le personnel de direction et des personnels - élus des personnels, des parents d'élèves et des élèves • organe délibératif et consultatif	Professeurs • agrégés, • certifiés, • de lycées professionnels	La région détermine les besoins en établissant un schéma prévisionnel des formations des collèges et des lycées
COLLÈGES 5 083 établissements 2 700 000 élèves	Département	Principal nommé par le ministre			
ENSEIGNEMENT ÉLÉMENTAIRE					
ÉCOLES 19 200 maternelles 37 600 élémentaires 6 093 000 élèves	Commune après avis de l'inspecteur d'académie	Directeur-nommé par l'inspecteur d'académie	Conseil d'école comprenant les enseignants, les représentants de la commune et des parents • organe consultatif	• Instituteurs et professeurs des écoles	Commune

Niveau national : le ministre

■ Nommé par le président de la République.

■ Responsable de la mise en œuvre de la politique nationale en matière d'éducation.

■ Il dispose d'une administration centrale (4 300 agents) et d'une Inspection générale : 220 inspecteurs généraux assument une mission d'évaluation du système éducatif.

Niveau académique : le recteur

26 académies en métropole et 2 outre-mer (Antilles-Guyane et Réunion)

■ Nommé par décret pris en Conseil des ministres.

■ Responsable de l'exécution des décisions du ministre.

■ Il dispose du personnel des services académiques. Il est assisté de conseillers techniques et d'un corps d'inspection : les inspecteurs régionaux et les inspecteurs de l'éducation nationale qui exercent des missions d'évaluation et d'animation dans les lycées, les collèges et les écoles.

Niveau départemental : l'inspecteur d'académie

■ Nommé par le président de la République.

■ Responsable des services départementaux de l'Éducation nationale.

LYCÉE X...
QUIMPER

Niveau local : le chef d'établissement
(proviseur ou principal de collège)

■ Nommé par le ministre.

■ Responsable de l'organisation et du fonctionnement de l'établissement.

■ Il a sous ses ordres : un proviseur-adjoint (principal-adjoint en collège), des conseillers principaux d'éducation, du personnel administratif et de service, et des enseignants.

ÉTAT

VIE POLITIQUE

ADMINISTRATION

COLLECTIVITÉS LOCALES

JUSTICE

INTERNATIONAL

Le médiateur

Le médiateur s'efforce de régler les situations individuelles nées du fonctionnement défectueux d'un service public. L'institution a été créée en 1973. Le médiateur dispose d'un pouvoir de recommandation et d'un pouvoir d'injonction.

Qui est le médiateur ?

Il est à la tête d'une administration qui comprend des rédacteurs, des assistants, des conseillers techniques et des correspondants dans les départements qui informent le public (ils tiennent leur permanence à la préfecture).

Le médiateur est nommé pour six ans par décret pris en Conseil des ministres [*p. 40*]. Son mandat n'est pas renouvelable.

Il ne peut être mis fin à ses fonctions avant l'expiration de ce délai qu'en cas d'empêchement constaté.

Le médiateur est une personnalité indépendante, irrévocable, qui ne reçoit d'instruction d'aucune autorité.

Il siège au 53, avenue d'Iéna 75116 Paris.

Quel est son rôle ?

Son rôle consiste à démêler des affaires administratives compliquées, des litiges entre un particulier et une administration de l'État, une collectivité territoriale, un établissement public. L'organisme mis en cause doit être français.

Il nomme des délégués départementaux afin de rendre l'institution accessible aux administrés.

De quel pouvoir dispose-t-il ?

Le pouvoir de recommandation. Lorsqu'une réclamation lui paraît justifiée, le médiateur fait, à l'administration [*p. 64*] concernée, toutes les recommandations qui lui paraissent de nature à régler les difficultés et toutes les propositions tendant à améliorer son fonctionnement. La publication des recommandations au *Journal officiel* reste le moyen de persuasion ultime.

Le pouvoir d'injonction. En cas d'inexécution d'une décision de justice [*p. 108*], le médiateur peut enjoindre (c'est-à-dire inviter) l'organisme mis en cause à s'y conformer dans un délai qu'il fixe. Si cette injonction n'est pas suivie d'effet, elle fera l'objet d'un rapport spécial qui sera publié au *Journal officiel*. Cette « menace » de publication suffit le plus souvent à débloquer certaines situations complexes.

■ Comment faire appel au médiateur ?

Toute personne et, depuis 1992, les personnes morales peuvent introduire une demande si elles s'estiment lésées par un service public mais la requête doit obligatoirement être transmise au médiateur par l'intermédiaire d'un député ou d'un sénateur. Il sera parfois préférable de s'adresser d'abord au délégué départemental du médiateur (contacter la préfecture du département). Le recours est gratuit.

Un parlementaire peut, de sa propre initiative, saisir le médiateur d'une question de sa compétence qui lui paraît mériter son intervention.

Sur la demande d'une des six commissions permanentes de son assemblée, le président de l'Assemblée nationale ou du Sénat peut également transmettre au médiateur toute pétition dont son assemblée a été saisie.

■ Exemples d'interventions

Le médiateur de la République obtient de la Direction de l'Équipement une indemnité substantielle en dédommagement d'un préjudice commercial subi par un hôtelier restaurateur. La fréquentation de son établissement avait eu à souffrir de la construction d'une autoroute, interdisant l'accès à partir de la nouvelle voie.

Le père d'une jeune fille volontaire pour effectuer son service national s'est vu notifier, par le centre des impôts, un redressement fiscal pour avoir rattaché sa fille à son foyer fiscal, obtenant ainsi une demi-part supplémentaire dans le quotient familial durant cette période. Le médiateur de la République a obtenu du ministre du Budget que désormais la possibilité de rattachement au foyer fiscal soit ouverte à toute personne, homme ou femme, qui effectue un service national et qu'il ne soit plus tenu compte du caractère obligatoire que revêt pour les hommes le service national, alors que, pour les femmes, il relève du volontariat.

■ Le nombre d'interventions

Les services du médiateur examinent chaque année plus de 35 000 dossiers.

60 % en cours d'instruction

40 % réglés

35 000 dossiers

Chaque année, le médiateur présente au président de la République et au Parlement un rapport dans lequel il établit le bilan de son activité. Ce rapport est publié par l'Imprimerie nationale (Service diffusion BP 154, 59505 Douai Cedex).

| ÉTAT |
| VIE POLITIQUE |
| **ADMINISTRATION** |
| COLLECTIVITÉS LOCALES |
| JUSTICE |
| INTERNATIONAL |

La région

Depuis la loi de décentralisation du 2 mars 1982, la région est érigée en collectivité territoriale de plein exercice, gérée par un conseil régional. Assemblée représentative de la population régionale, sa légitimité se fonde sur son mode d'élection, au suffrage universel direct.

▄▄▄ Une collectivité territoriale

La région est une collectivité territoriale, au même titre que les départements et les communes, constituée par un ensemble de départements [*p. 86*] regroupés en fonction de leur appartenance à des intérêts économiques et culturels.

La France est divisée en 26 régions : 22 régions métropolitaines et 4 régions d'outre-mer : Guadeloupe, Guyane, Martinique, Réunion.

▄▄▄ Les 26 régions

Chaque région est gérée par des conseillers régionaux dont l'effectif varie en fonction de la population.

Les 26 régions et la répartition des sièges entre les départements

Alsace 47
Bas-Rhin (27)
Haut-Rhin (20)

Aquitaine 85
Dordogne (12)
Gironde (36)
Landes (10)
Lot-et-Garonne (10)
Pyrénées-Atlantique (17)

Auvergne 47
Allier (13)
Cantal (6)
Haute-Loire (8)
Puy-de-Dôme (20)

Bourgogne 57
Côte-d'Or (17)
Nièvre (9)
Saône-et-Loire (19)
Yonne (12)

Bretagne 83
Côtes-d'Armor (16)
Finistère (25)
Ille-et-Vilaine (24)
Morbihan (18)

Centre 77
Cher (11)
Eure-et-Loir (13)
Indre (8)
Indre-et-Loire (17)
Loir-et-Cher (10)
Loiret (18)

**Champagne
Ardenne 49**
Ardennes (11)
Aube (11)
Marne (19)
Haute-Marne (8)

Corse 51
Corse-du-Sud (28)
Haute-Corse (33)

Franche-Comté 43
Territ. de Belf. (6)
Doubs (18)
Jura (10)
Haute-Saône (9)

Guadeloupe 41

Guyane 31

Ile-de-France 209
Essonne (21)
Hauts-de-Seine (27)
Ville de Paris (42)
Seine-et-Marne (21)
Seine-St-Denis (27)
Val-de-Marne (24)
Val-d'Oise (21)
Yvelines (26)

Languedoc-Rous. 67
Aude (10)
Gard (18)
Hérault (24)
Lozère (3)
Pyrénées-Orient. (12)

Limousin 43
Corrèze (14)
Creuse (8)
Haute-Vienne (21)

Lorraine 73
Meurthe-et-Mos. (22)
Meuse (7)
Moselle (31)
Vosges (13)

Martinique (41)

Midi-Pyrénées 91
Ariège (6)
Aveyron (10)
Haute-Garonne (32)
Gers (7)
Lot (6)
Hautes-Pyrénées (9)
Tarn (13)
Tarn-et-Garonne (8)

Basse-Normandie 47
Calvados (21)
Manche (16)
Orne (10)

Haute-Normandie 55
Eure (17)
Seine-Maritime (38)

Nord-Pas-de-Calais 113
Nord (72)
Pas-de-Calais (41)

Pays de Loire 93
Loire-Atlantique (31)
Maine-et-Loire (21)
Mayenne (9)
Sarthe (16)
Vendée (16)

Picardie 57
Aisne (17)
Oise (23)
Somme (17)

Poitou-Charentes 55
Charente (12)
Charente-Marit. (18)
Deux-Sèvres (12)
Vienne (13)

**Provence-Alpes-
Côte-d'Azur 123**
Alpes-de-Haute
Provence (5)
Hautes-Alpes (4)
Alpes-Maritimes (28)
Bouche-du-Rh. (49)
Var (23)
Vaucluse (14)

Réunion (45)

Rhône-Alpes 157
Ain (14)
Ardèche (9)
Drôme (12)
Isère (29)
Loire (22)
Rhône (43)
Savoie (11)
Haute-Savoie (17)

LA DIVISION DE LA FRANCE EN RÉGIONS

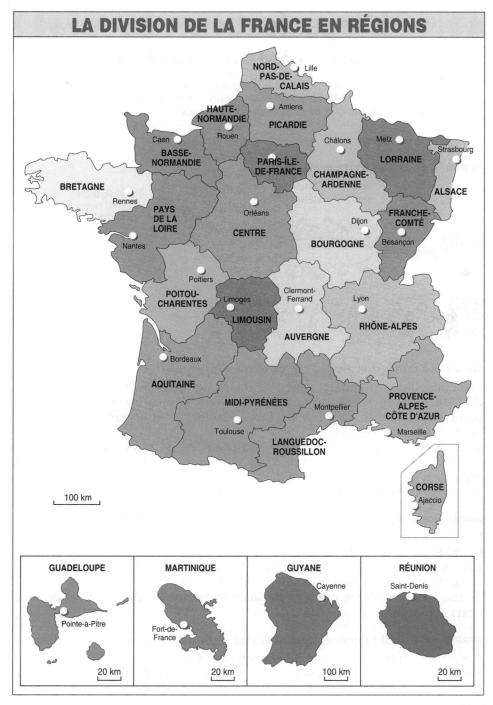

NORD-PAS-DE-CALAIS
Lille

HAUTE-NORMANDIE
Amiens
PICARDIE

Caen
Rouen
Châlons
Metz
Strasbourg

BASSE-NORMANDIE
PARIS-ÎLE-DE-FRANCE
LORRAINE

CHAMPAGNE-ARDENNE
ALSACE

BRETAGNE
Rennes

PAYS DE LA LOIRE
Orléans
Dijon
FRANCHE-COMTÉ
Besançon

Nantes
CENTRE
BOURGOGNE

Poitiers

POITOU-CHARENTES
Limoges
Clermont-Ferrand
Lyon

LIMOUSIN
AUVERGNE
RHÔNE-ALPES

Bordeaux

AQUITAINE

MIDI-PYRÉNÉES
Montpellier
PROVENCE-ALPES-CÔTE D'AZUR

Toulouse
Marseille

LANGUEDOC-ROUSSILLON

100 km

CORSE
Ajaccio

GUADELOUPE
Pointe-à-Pitre
20 km

MARTINIQUE
Fort-de-France
20 km

GUYANE
Cayenne
100 km

RÉUNION
Saint-Denis
20 km

81

ÉTAT

VIE POLITIQUE

ADMINISTRATION

COLLECTIVITÉS LOCALES

JUSTICE

INTERNATIONAL

L'organisation d'un conseil régional

Le conseil régional administre la région. Il « règle par ses délibérations les affaires de la région ». À sa tête, le président dirige les débats du conseil régional, il est aussi l'exécutif de la région.

■■■■ Une collectivité territoriale

Assemblée du conseil régional (décide)

Président du conseil régional (exécute)

Électeurs de la région

■■■■ Le conseil régional : le pouvoir délibératif

Les conseillers régionaux sont élus dans chaque département, au scrutin de liste, à la représentation proportionnelle, la plus forte moyenne, sans panachage, ni vote préférentiel. Les conseillers régionaux sont élus pour six ans. Ils sont rééligibles.

☐ Le conseil régional a son siège au chef-lieu de la région, à l'hôtel de région. Il se réunit au moins une fois par trimestre. Il vote le budget de la région. Il délibère sur les affaires régionales qui lui sont soumises. Il approuve le Plan régional, et concourt à l'élaboration du Plan national.

■■■■ Le président du conseil régional : le pouvoir exécutif

Il est élu par le conseil régional pour six ans à la majorité absolue des membres. Il préside les réunions du conseil régional. Il est chargé de l'exécution des décisions et des délibérations du conseil. Il dirige les services administratifs de la région. Il saisit le Comité économique et social régional de tous les problèmes qui sont de sa compétence (budget, plan et orientations générales).

■■■■ Le Comité économique et social régional : assemblée consultative

Il émet des avis à l'intention du conseil régional.

Ses membres sont désignés pour six ans par les différentes organisations professionnelles, économiques, scientifiques et culturelles de la région.

LE CONSEIL RÉGIONAL, COMMISSIONS ET SERVICES

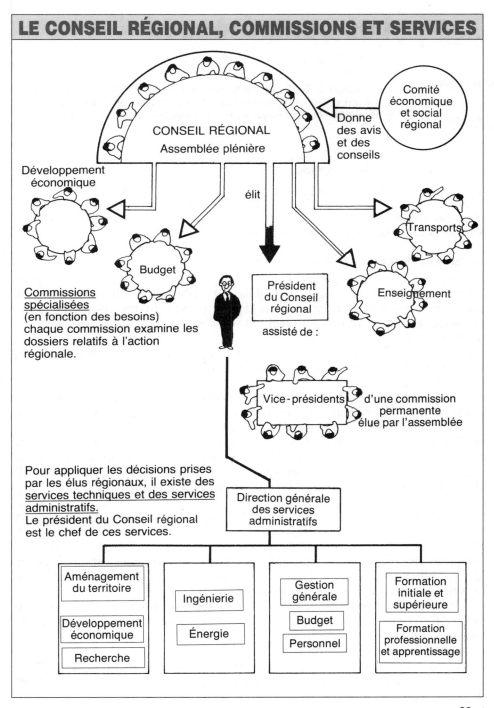

CONSEIL RÉGIONAL
Assemblée plénière

Comité économique et social régional

Donne des avis et des conseils

Développement économique

élit

Budget

Commissions spécialisées
(en fonction des besoins) chaque commission examine les dossiers relatifs à l'action régionale.

Transports

Président du Conseil régional

assisté de :

Enseignement

Vice-présidents d'une commission permanente élue par l'assemblée

Pour appliquer les décisions prises par les élus régionaux, il existe des services techniques et des services administratifs.
Le président du Conseil régional est le chef de ces services.

Direction générale des services administratifs

Aménagement du territoire

Développement économique

Recherche

Ingénierie

Énergie

Gestion générale

Budget

Personnel

Formation initiale et supérieure

Formation professionnelle et apprentissage

ÉTAT

VIE POLITIQUE

ADMINISTRATION

COLLECTIVITÉS LOCALES

JUSTICE

INTERNATIONAL

Les compétences du conseil régional

Le budget de la région est le moyen d'action qui permet au conseil d'exercer ses différentes compétences dans la mise au point d'un plan, dans le développement économique, dans la formation.

Le budget de la région

Il est voté, au début de chaque année, par les conseillers régionaux.
Toutes les opérations financières sont assurées par le payeur et comptable régional, qui dépend du Trésor public. La légalité des comptes est contrôlée par la chambre régionale des comptes.

Les domaines de compétence

Le conseil régional règle par ses délibérations les affaires de la région. Sous cette formule générique, le législateur a plus particulièrement insisté sur la compétence de la région pour la promotion « du développement économique, social, sanitaire, culturel » et de « l'aménagement du territoire ».

L'action économique

Les interventions tendent soit à favoriser le développement économique, soit à accorder des aides directes ou indirectes aux entreprises.

L'aménagement du territoire

Acteur majeur de la planification, la région est le partenaire privilégié de l'État pour l'élaboration et l'exécution du plan de la nation. À ce titre, elle passe des contrats de plan avec l'État afin de réunir des moyens financiers suffisants pour des objectifs communs. Elle participe aux financements d'équipements collectifs. Elle veille au développement harmonieux du territoire. Elle agit sur les infrastructures et les transports (route, fer, eau), sur l'environnement et la mise en valeur des espaces naturels.

La formation des hommes

C'est l'une des plus importantes et des plus lourdes compétences de la région.

L'enseignement du second degré : la région est responsable de la construction, de l'équipement et des dépenses de fonctionnement des lycées [p. 76]. Elle a toutes les obligations de sécurité, d'entretien et de rénovation des lycées pour en assurer le bon fonctionnement.

La formation professionnelle continue et l'apprentissage : la région met au point un plan de formation professionnelle en fonction des besoins et de l'avenir régional.

Les autres domaines de compétence

La région a la possibilité d'intervenir dans les domaines de la culture, de l'environnement, de la recherche, des transports, des communications et du tourisme.

LE BUDGET DE LA RÉGION

■ Où va l'argent ?
Les dépenses

Formation des hommes
Formation initiale et supérieure. Construction et entretien des lycées. Formation professionnelle et apprentissage.

Transports et infrastructures
Aménagement de routes, ports maritimes, de gares, sécurité routière, météorologie…

Action économique
Maîtrise de l'énergie, productions agricoles, diversification de l'économie régionale…

Habitat
Réhabilitation des quartiers urbains, amélioration des logements sociaux…

Aménagement régional
Restructuration des agglomérations, lutte contre la pollution des eaux, maintien en activité des zones agricoles, diversification des emplois et des produits.

Culture et sports
Musique, aménagement de lieux de spectacles, musées, salles de sport.

Frais de personnel

Charges de fonctionnement des assemblées et des services

Remboursement des emprunts

■ D'où vient l'argent ?
Les recettes

Participation de l'État
Diverses dotations et participations de l'État destinées à aider le fonctionnement et l'équipement des régions et qui correspondent aux transferts de compétences de l'État à la région dans le cadre de la décentralisation.
Exemple : financement au titre du Contrat de Plan.

Recettes d'emprunt
Moyen normal de financement du budget d'une collectivité locale, il permet de ne pas recourir en totalité à l'impôt. Ce financement est effectué soit à partir du réseau public (Caisse des dépôts et consignations, Caisse d'épargne…), soit sur le marché financier.

Recettes fiscales
- La taxe régionale.
Elle s'ajoute aux quatre taxes locales (taxe foncière sur les propriétés bâties, taxe foncière sur les propriétés non bâties, taxe d'habitation, taxe professionnelle).
- La taxe sur les droits de mutation.
Cette taxe est perçue sur chaque transaction immobilière (vente, achat…).
- La taxe sur les permis de conduire.
- La taxe sur les cartes grises des véhicules automobiles.

Recettes diverses
Remboursements faits à la région dans le cas d'accords de financement pour certains projets.
Exemple : remboursement de la SNCF pour le transport régional de voyageurs.

ÉTAT

VIE POLITIQUE

ADMINISTRATION

COLLECTIVITÉS LOCALES

JUSTICE

INTERNATIONAL

Le département

> Créé par la Révolution, le département a été conçu dans le cadre d'un découpage géographique destiné à rationaliser l'organisation administrative du territoire. Napoléon donna un rôle prépondérant au représentant de l'État, le préfet, détenteur de l'exécutif.

▣ La division du territoire français en départements

- La France est divisée en 96 départementaux métropolitains et 4 départements d'outre-mer.

- Chaque département est divisé en cantons dont le nombre varie de 15 (Territoire de Belfort) à 79 (département du Nord).

- Le canton est une division intermédiaire entre l'arrondissement et la commune. Il constitue une circonscription électorale pour l'élection des conseillers généraux.

▣ Les différents départements et leurs chefs-lieux

01	Ain	Bg-en-Bresse	37	Indre-et-loire	Tours	72	Sarthe	Le Mans
			38	Isère	Grenoble	73	Savoie	Chambéry
02	Aisne	Laon	39	Jura	Lons-le-Saunier	74	Savoie (Hte-)	Annecy
03	Allier	Moulins				76	Seine-Maritime	Rouen
04	Alpes-de-Hte-P.	Digne	40	Landes	Mt-de-Marsan	79	Sèvres (Deux-)	Niort
05	Alpes (Hautes-)	Gap				80	Somme	Amiens
06	Alpes-Maritimes	Nice	41	Loir-et-cher	Blois	81	Tarn	Albi
			42	Loire	St-Étienne	82	Tarn-et-Gar.	Montauban
07	Ardèche	Privas	43	Loire (Haute-)	Le Puy	83	Var	Toulon
08	Ardennes	Mézières	44	Loire-Àtlant.	Nantes	84	Vaucluse	Avignon
09	Ariège	Foix	45	Loiret	Orléans	85	Vendée	La Roche/Yon
10	Aube	Troyes	46	Lot	Cahors			
11	Aude	Carcassonne	47	Lot-et-Garonne	Agen	86	Vienne	Poitiers
12	Aveyron	Rodez	48	Lozère	Mende	87	Vienne (Haute-)	Limoges
13	Bouches-du-Rh.	Marseille	49	Maine-et-Loire	Angers			
14	Calvados	Caen	50	Manche	Saint-Lô	88	Vosges	Épinal
15	Cantal	Aurillac	51	Marne	Reims	89	Yonne	Auxerre
16	Charente	Angoulême	52	Marne (Haute-)	Chaumont	90	Belfort (Ter. de)	Belfort
17	Charente-Mar.	La Rochelle	53	Mayenne	Laval			
18	Cher	Bourges	54	Meurthe-et-Mos.	Nancy		**RÉGION PARISIENNE**	
19	Corrèze	Tulle	55	Meuse	Bar-le-Duc			
20A	Corse du Sud	Ajaccio	56	Morbihan	Vannes	91	Essonne	Évry
20B	Haute-Corse	Bastia	57	Moselle	Metz	92	Hauts-de-Seine	Nanterre
21	Côte-d'Or	Dijon	58	Nièvre	Nevers	75	Paris (Ville de)	
22	Côtes d'Armor	St-Brieuc	59	Nord	Lille	77	Seine-et-Marne	Melun
23	Creuse	Guéret	60	Oise	Pontoise	93	Seine-St-Denis	Bobigny
24	Dordogne	Périgueux	61	Orne	Alençon	94	Val-de-Marne	Créteil
25	Doubs	Besançon	62	Pas-de-Calais	Arras	95	Val-d'Oise	Pontoise
26	Drôme	Valence	63	Puy-de-Dôme	Ct-Ferrand	78	Yvelines	Versailles
27	Eure	Évreux	64	Pyrénées-Atlan.	Pau			
28	Eure-et-Loir	Chartres	65	Pyrénées (Hautes-)	Tarbes		**OUTRE-MER**	
29	Finistère	Quimper	66	Pyrénées-Orient.	Perpignan	971	Guadeloupe	Basse-Terre
30	Gard	Nîmes						
31	Garonne (Hte)	Toulouse	67	Rhin (Bas-)	Strasbourg	973	Guyane	Cayenne
32	Gers	Auch	68	Rhin (Haut-)	Mulhouse	972	Martinique	Fort-de-France
33	Gironde	Bordeaux	69	Rhône	Lyon			
34	Hérault	Montpellier	70	Saône (Hte-)	Vésoul	974	Réunion	St-Denis
35	Ille-et-Vilaine	Rennes	71	Saône-et-Loire	Mâcon			
36	Indre	Châteauroux						

LA DIVISION DE LA FRANCE EN DÉPARTEMENTS

VAL-D'OISE 95
YVELINES 78
ESSONNE 91
SEINE-ET-MARNE 77
50 km

SEINE-SAINT-DENIS 93
HAUTS-DE-SEINE 92
VAL-DE-MARNE 9
50 km

PAS-DE-CALAIS 62
NORD 59
SOMME 80
AISNE 02
ARDENNES 08
SEINE-MARITIME 76
OISE 60
MANCHE 50
CALVADOS 14
EURE 27
95
MARNE 52
MEUSE 55
MOSELLE 54
57
BAS-RHIN 67
FINISTÈRE 29
22
CÔTES D'ARMOR
ORNE 61
EURE-ET-LOIR 28
78
91
77
MEURTHE-ET-MOSELLE
ILLE-ET-VILAINE 35
MAYENNE 53
SARTHE 72
AUBE 10
HAUTE-MARNE 52
VOSGES 88
HAUT-RHIN 68
MORBIHAN 56
LOIRET 45
YONNE 89
HAUTE-SAÔNE 70
90
41
LOIR-ET-CHER
CÔTE-D'OR 21
DOUBS 25
TERRITOIRE-DE-BELFORT
LOIRE-ATLANTIQUE 44
MAINE-ET-LOIRE 49
INDRE-ET-LOIRE 37
CHER 18
NIÈVRE 58
VENDÉE 85
79
VIENNE 86
INDRE 36
ALLIER 03
SAÔNE-ET-LOIRE 71
JURA 39
DEUX-SÈVRES
AIN 01
HAUTE-SAVOIE 74
CHARENTE-MARITIME 17
CHARENTE 16
87
HAUTE-VIENNE
CREUSE 23
PUY-DE-DÔME 63
LOIRE 42
RHÔNE 69
SAVOIE 73
CORRÈZE 19
CANTAL 15
HAUTE-LOIRE 43
ISÈRE 38
DORDOGNE 24
GIRONDE 33
LOT 46
LOZÈRE 48
ARDÈCHE 07
DRÔME 26
05
HAUTES-ALPES
LOT-ET-GARONNE 47
TARN-ET-GARONNE 82
AVEYRON 12
84
ALPES-DE-Hte-PROVENCE 04
06
ALPES-MARITIMES
LANDES 40
GERS 32
TARN 81
GARD 30
VAUCLUSE 13
VAR 83
HAUTE-GARONNE
HÉRAULT 34
BOUCHES-DU-RHÔNE
PYRÉNÉES-ATLANTIQUES 64
65
31
AUDE 11
HAUTES-PYRÉNÉES
ARIÈGE 09
PYRÉNÉES-ORIENTALES 66

100 km

HAUTE-CORSE 2B
CORSE-DU-SUD 2A

ÉTAT

VIE POLITIQUE

ADMINISTRATION

COLLECTIVITÉS LOCALES

JUSTICE

INTERNATIONAL

L'organisation d'un conseil général

Depuis la loi de décentralisation de mars 1982, le département est une collectivité territoriale. Le président du conseil général prépare et exécute les décisions de son assemblée.

Une collectivité territoriale

Président du
Conseil général (exécute)

Assemblée du
Conseil général
du département (décide)

Électeurs de
chaque canton
du département

Le conseil général

Le conseil général [*p. 90*] a son siège à l'hôtel du département.
Les conseillers généraux sont élus dans chaque canton, pour six ans, au suffrage universel direct. Ils sont renouvelables par moitié tous les trois ans, et sont rééligibles.
Le conseil général règle par ses délibérations « les affaires du département ». Il vote le budget [*p. 91*] départemental.

Le président du conseil général

Il est élu pour trois ans par les conseillers généraux.
Il est chargé de préparer et d'exécuter les délibérations du conseil général. Il est l'ordonnateur des dépenses du département et le chef des services du conseil général.
Le président du conseil général est assisté d'une commission permanente composée de vice-présidents et éventuellement d'autres membres.

LE CONSEIL GÉNÉRAL, COMMISSIONS ET SERVICES

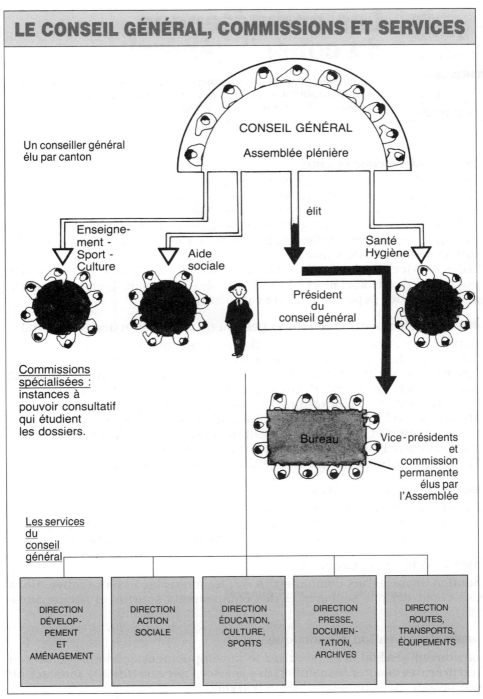

Un conseiller général
élu par canton

CONSEIL GÉNÉRAL

Assemblée plénière

élit

Enseigne-
ment -
Sport -
Culture

Aide
sociale

Santé
Hygiène

Président
du
conseil général

Commissions
spécialisées :
instances à
pouvoir consultatif
qui étudient
les dossiers.

Bureau

Vice-présidents
et
commission
permanente
élus par
l'Assemblée

Les services
du
conseil
général

| DIRECTION DÉVELOP-PEMENT ET AMÉNAGEMENT | DIRECTION ACTION SOCIALE | DIRECTION ÉDUCATION, CULTURE, SPORTS | DIRECTION PRESSE, DOCUMEN-TATION, ARCHIVES | DIRECTION ROUTES, TRANSPORTS, ÉQUIPEMENTS |

ÉTAT

VIE POLITIQUE

ADMINISTRATION

COLLECTIVITÉS LOCALES

JUSTICE

INTERNATIONAL

Les compétences du conseil général

Le conseil général est un rouage essentiel de la vie publique dans les domaines de l'action sociale, de l'éducation, de l'aménagement du territoire, du tourisme...

Aide sociale et santé

Quel service pouvez-vous attendre de votre conseil général ?

□ des prestations d'aide sociale : aide médicale, aide sociale à l'enfance, aux familles, aux personnes handicapées, âgées ou défavorisées ;

□ de la prévention sanitaire : vaccination, protection maternelle et infantile, lutte contre certains fléaux : le cancer, la tuberculose, le SIDA, les maladies mentales et l'alcoolisme ;

□ des services sociaux qui assurent, au plan local, la mise en œuvre des politiques d'aide sociale et des actions médico-sociales (service d'action sociale, service départemental de vaccination...).

Équipements collectifs et gestion du patrimoine départemental

Entretien et réparation des voies de communication en infrastructures : 350 000 km de routes sont classés dans la voirie départementale.

Aménagement du territoire rural : ex. : mise en place d'un programme d'aide à l'équipement rural, financement du remembrement rural.

Construction et amélioration des bâtiments administratifs à caractère social, culturel, sportif, éducatif (bibliothèques, musées) ou de protection des personnes et des biens (subvention au service départemental de protection contre l'incendie, construction de gendarmeries).

Promotion du tourisme et sauvegarde de l'environnement.

Actions éducatives

Le conseil général est responsable :

□ de la construction, de l'équipement et de l'entretien des collèges [p. 76] ;

□ de la politique de gratuité des transports scolaires non urbains.

Aide aux communes

Soutien financier aux communes [p. 92] les moins favorisées (subventions des constructions scolaires et des équipements sportifs et socio-éducatifs).

Intervention économique

Le conseil général peut favoriser le développement économique de son territoire, et assurer le maintien des services nécessaires à la satisfaction des besoins de la population en milieu rural.

LE BUDGET DU DÉPARTEMENT

■ Où va l'argent?
Les dépenses

Aide sociale et santé

 Aide sociale à l'enfance, aux handicapés, aux personnes âgées. Protection maternelle et infantile.

Voies de communication et infrastructures

 Routes départementales. Patrimoine départemental (préfecture, gendarmerie...).

Développement économique

Zones d'activité, aide à l'agriculture, aménagement rural

Logement

Éducation et sports

 - Construction et entretien des collèges
- Équipements sportifs et culturels
- Transports scolaires

Interventions en faveur de l'environnement

 Plantations, acquisition d'espaces verts, tourisme

Frais de personnel

Charges de fonctionnement des services (matériel, fournitures, réceptions)

Remboursement des emprunts

■ D'où vient l'argent ?
Les recettes

Participation de l'État

L'État effectue plusieurs dotations pour aider chaque département.

Recettes fiscales

 - Taxe différentielle sur les véhicules à moteur (la vignette).
- Droits d'enregistrement.
- Taxes espaces verts, d'urbanisme et d'environnement.

Recettes fiscales des impôts directs

Ce sont des cotisations prélevées sur les impôts locaux (taux d'habitation, foncier bâti et non bâti, taxe professionnelle) au profit du département.

Produits des emprunts

 Les dépenses d'aide sociale obligatoire représentent plus de la moitié des dépenses de fonctionnement des départements.

ÉTAT

VIE POLITIQUE

ADMINISTRATION

COLLECTIVITÉS LOCALES

JUSTICE

INTERNATIONAL

La commune

La commune est la plus petite division administrative française. C'est une collectivité territoriale qui est gérée par des représentants élus. Un conseil municipal gère par ses délibérations les affaires de la commune. Le maire, élu par les membres du conseil municipal, en son sein, exécute les délibérations.

Une collectivité territoriale

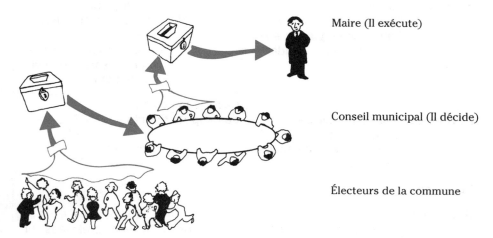

Maire (Il exécute)

Conseil municipal (Il décide)

Électeurs de la commune

Quels services pouvez-vous attendre de votre mairie ?

☐ Élections : inscription sur les listes électorales. La liste des électeurs est valable pour toutes les élections [*p. 20*] politiques (municipales, cantonales, régionales, législatives, européennes, présidentielles) ;

☐ Les services de l'état civil : déclaration de naissance, de décès, de reconnaissance d'enfant naturel ;

☐ Les services sociaux dans chaque commune : le centre communal d'action sociale gère l'ensemble des formes d'actions sociales mises en place par la commune, en accord avec les organismes institutionnels (DDASS, CAF et CPA maladie) : aide sociale à l'enfance, aux personnes âgées, aide médicale, aide en nature...

☐ Les services de l'urbanisme et du logement pour : consulter le plan d'occupation des sols (POS). Élaboré sous la responsabilité de la commune, le POS fixe les règles de la construction sur le territoire communal ; demander un certificat d'urbanisme qui précise les règles particulières de construction applicables à une parcelle de terrain ; obtenir un permis de construire.

☐ Des informations par voie d'affichage ou par la consultation de documents (procès-verbaux du conseil municipal, *Journal officiel*...).

L'ORGANISATION D'UNE COMMUNE

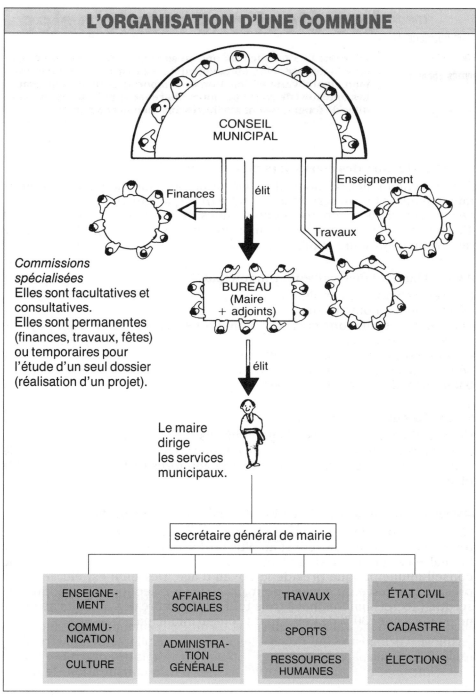

CONSEIL MUNICIPAL

Finances

élit

Enseignement

Travaux

Commissions spécialisées
Elles sont facultatives et consultatives.
Elles sont permanentes (finances, travaux, fêtes) ou temporaires pour l'étude d'un seul dossier (réalisation d'un projet).

BUREAU
(Maire + adjoints)

élit

Le maire dirige les services municipaux.

secrétaire général de mairie

ENSEIGNE-MENT	AFFAIRES SOCIALES	TRAVAUX	ÉTAT CIVIL
COMMU-NICATION		SPORTS	CADASTRE
CULTURE	ADMINISTRA-TION GÉNÉRALE	RESSOURCES HUMAINES	ÉLECTIONS

ÉTAT

VIE POLITIQUE

ADMINISTRATION

COLLECTIVITÉS LOCALES

JUSTICE

INTERNATIONAL

Les élections municipales

Elles ont lieu tous les six ans au suffrage universel direct, au scrutin de liste selon un mode mixte. Le nombre de conseillers municipaux varie en fonction de l'importance de la commune. Les fonctions de conseiller municipal sont gratuites. Des indemnités de fonctions sont attribuées aux maires et adjoints.

▬▬▬ L'élection des conseillers municipaux

Pour les communes de moins de 3 500 habitants, l'élection des conseillers municipaux se fait au scrutin majoritaire [*p. 24*] à deux tours.
Les conseillers municipaux des communes de 3 500 habitants et plus sont élus au scrutin de liste à deux tours selon un mode mixte [*p. 28*] (mélange de scrutin majoritaire et proportionnel).

▬▬▬ Qui peut être conseiller municipal ?

Pour être éligible, le candidat :
- doit avoir au moins 18 ans,
- être français ou, sous certaines conditions, ressortissant d'un pays de l'Union européenne,
- jouir de ses droits civils et politiques,
- être inscrit sur les listes électorales.
Il faut avoir 21 ans pour être maire.

▬▬▬ La durée du mandat

Un conseiller municipal est élu pour six ans.
Si un siège de conseiller devient vacant, pour quelque cause que ce soit, le candidat, venant sur la liste immédiatement après le dernier élu, prend la place.

▬▬▬ Comment se fait l'élection du maire et des adjoints ?

Elle se fait lors de la première réunion du conseil municipal qui doit se tenir au plus tôt le vendredi et au plus tard le dimanche suivant l'élection. Le maire est élu pour six ans au scrutin majoritaire à trois tours par le conseil municipal que préside le doyen d'âge. Dès qu'il est élu, le maire préside la séance du conseil pour procéder à l'élection des adjoints, au scrutin (secret) uninominal à trois tours. Le nombre des adjoints au maire ne peut excéder 30 % de l'effectif du conseil municipal.

COMBIEN DE CONSEILLERS MUNICIPAUX ?

Le nombre des conseillers municipaux varie en fonction de l'importance de la population de la commune.

Nombre de conseillers par commune	
Population de la commune	Nombre de conseillers
Moins de 100 habitants . . .	9
100 à 499	11
500 à 1 499	15
1 500 à 2 499	19
2 500 à 3 499	23
3 500 à 4 999	27
5 000 à 9 999	29
10 000 à 19 999	33
20 000 à 29 999	35
30 000 à 39 999	39
40 000 à 49 999	43
50 000 à 59 999	45
60 000 à 79 999	49
80 000 à 99 999	53
100 000 à 149 999	55
150 000 à 199 999	59
200 000 à 249 999	61
250 000 à 299 999	65
300 000 et plus	69
Paris	163
Lyon	73
Marseille	101

La commune de Paris est administrée par un Conseil de Paris [*p. 102*]. Celles de Lyon et de Marseille par un conseil municipal. Elles sont toutes soumises aux mêmes règles de fonctionnement que les autres communes.

Il existe 36 580 communes, ce qui fait, proportionnellement à la population, trois fois plus qu'en Italie, Espagne ou République Fédérale d'Allemagne.

Les communes de moins de 10 000 habitants représentent 98 % des communes et 48 % de la population française.

Les délégations

Le maire est seul chargé de l'administration de la commune mais il peut se faire aider par ses adjoints, par des conseillers municipaux et par ses collaborateurs. Les délégations sont accordées par le maire aux adjoints de son choix, par un arrêté qui doit préciser la nature et les limites des fonctions déléguées. Le maire n'a pas le droit de déléguer une partie de ses fonctions à un conseiller municipal quand il existe un adjoint qui peut s'en acquitter.

Les signes distinctifs pour symboliser l'autorité du maire

- l'écharpe tricolore (bleu, blanc, rouge) doit se porter dans les cérémonies publiques soit à la ceinture soit de l'épaule droite au côté gauche,
- l'insigne officiel : son usage est facultatif,
- la carte d'identité délivrée par la préfecture.

Les conditions d'exercice des mandats locaux

La loi du 3 février 1992 précise les garanties accordées aux conseillers municipaux dans l'exercice de leur mandat et dans leur activité professionnelle ainsi que leurs droits à une formation. Le même texte détermine les indemnités de fonction et la retraite des élus.

Les conseils municipaux d'enfants

Pour sensibiliser les jeunes à la vie publique, certaines communes procèdent à l'élection dans les écoles d'un conseil municipal des jeunes. Ils élisent en leur sein un « maire » et ils siègent régulièrement à l'hôtel de ville de leur commune.

ÉTAT

VIE POLITIQUE

ADMINISTRATION

COLLECTIVITÉS LOCALES

JUSTICE

INTERNATIONAL

Le maire et son conseil municipal

Il peut intervenir à l'égard de toutes les affaires communales dans le cadre de la législation existante. Son pouvoir de décision est matérialisé par des délibérations qui s'imposent à tous.

Le maire

Le maire représente la commune auprès des administrés et des pouvoirs publics. Il exécute les décisions du conseil municipal, il possède l'autorité de police municipale et il est le représentant de l'État dans la commune.

Il est aidé par des adjoints au maire qui peuvent le remplacer en cas d'empêchement, ou exercer, par délégation, certaines fonctions.

Le maire : un agent exécutif du conseil municipal

Il convoque le conseil municipal, dont il est le président. Il prépare et exécute les décisions du conseil municipal. Ordonnateur de la commune, il est chargé de l'exécution du budget [p. 99] : paiement des dépenses engagées et encaissement des recettes.

Il représente la commune, par délégation du conseil municipal. Par exemple, pour la signature des contrats.

Le maire : un magistrat municipal

Il assure la police municipale et la police rurale pour garantir le bon ordre, la sécurité et la salubrité publique. Par exemple, il prend des arrêtés de police pour réglementer la circulation ou le stationnement sur les voies.

Il recrute le personnel communal et il est responsable de l'organisation des services municipaux.

Il délivre les permis de construire lorsqu'un plan d'occupation des sols (POS) a été approuvé.`

Le maire : un représentant de l'État

Il est chargé, sous l'autorité du préfet :

- d'assurer la publication des lois et règlements [p. 50] de la République ;
- de participer à certaines opérations administratives : révision des listes électorales, recensement de la population, établissement des listes de conscription, organisation des élections ;
- d'exercer les fonctions d'officier d'état civil (tenue des registres d'état civil et célébration des mariages) ;
- d'exercer les fonctions d'officier de police judiciaire. Il constate les contraventions en dressant un procès-verbal.

LE RÔLE D'UN CONSEIL MUNICIPAL

Le conseil municipal règle par ses délibérations les affaires de la commune et vote le budget nécessaire au financement de l'ensemble des actions décidées. Il se réunit au moins quatre fois par an à la mairie. Les séances sont publiques.

■ L'organisation des services publics gratuits

- Services administratifs obligatoires pour l'état civil, les listes électorales, les élections, le recensement du service national...,
- Aides sociale, médicale, aux personnes âgées, aux demandeurs d'emploi, au logement, administrées par un centre communal d'aide sociale,
- Entretien de la voirie communale,
- Action éducative (construction, entretien, équipement des écoles, classes de nature...),
- Service de police municipale (10 000 policiers pour 2 900 communes).

■ La création des services publics payants

Ils sont financés par les usagers. La gestion autonome de chaque service est assurée, sous le contrôle du conseil municipal, par des agents territoriaux et une régie municipale :
- l'hygiène et l'environnement (pompes funèbres, distribution en eau potable, service d'assainissement, collecte des ordures ménagères...) ;
- la production et la distribution de l'énergie (électricité, gaz, chaleur...) ;
- les équipements collectifs : crèches, cantines, piscines, bibliothèques, musées, centres de loisirs... ;
- les transports publics d'intérêt local, les parcs de stationnement... ;
- les activités économiques (halles, marchés, abattoirs, réseaux câblés...).

■ L'aménagement du domaine public

La commune accroît ses compétences dans le domaine du logement social (zones d'aménagement concerté (ZAC), du développement industriel (zones industrielles), de la protection du patrimoine architectural, de l'environnement et de l'urbanisme (plan d'occupation des sols, délivrance des permis de construire ou de détruire...).

■ La gestion du domaine privé de la commune

Il s'agit de la bonne utilisation et de la conservation des biens immobiliers appartenant à la commune (perception des revenus de location des propriétés, terres, forêts, immeubles ; assurance et entretien des bâtiments communaux...).

■ Le développement économique

Pour aménager l'espace et développer l'économie locale, le conseil municipal peut aider certaines entreprises à se créer ou à maintenir des services nécessaires.

■ La réalisation de manifestations

Exemple : foires, expositions, concerts, festivals, subventions aux associations sportives et culturelles...

■ Le rôle de représentation

Le conseil désigne ses représentants dans les différents organismes extérieurs (commissions locales ou départementales diverses, communautés de villes, communauté urbaine, par exemple).

ÉTAT

VIE POLITIQUE

ADMINISTRATION

COLLECTIVITÉS LOCALES

JUSTICE

INTERNATIONAL

Budget et impôts locaux

Le budget d'une commune est la traduction financière de la politique poursuivie par le conseil municipal. Les dépenses doivent être globalement couvertes par les recettes. Il en résulte que cet équilibre est souvent réalisé par une augmentation des impôts locaux.

Les différentes étapes de l'année budgétaire

Le budget de la commune est voté en trois étapes.

☐ Le budget primitif (janvier à février)

Voté en début d'année, il donne les principales orientations de l'action du conseil municipal pour l'année. Il fixe le taux des impôts locaux qui seront perçus pour financer les dépenses.

☐ Le compte administratif (avril à octobre)

C'est le compte rendu de la gestion budgétaire de l'année précédente. On s'aperçoit parfois que cette gestion a pu dégager des économies.

☐ Le budget supplémentaire (aussitôt après le compte administratif)

Il est voté en cours d'année pour réajuster les prévisions initiales. Chaque budget distingue deux parties :

- la section de fonctionnement qui présente les recettes et les dépenses courantes des services municipaux,

- la section d'investissement qui concerne les opérations qui augmentent ou diminuent le patrimoine communal (acquisitions mobilier, d'immeubles...).

Les quatre impôts locaux. Qui est imposable ?

☐ La taxe foncière sur les propriétés bâties : impôt versé par le propriétaire d'un immeuble.

☐ La taxe foncière sur les propriétés non bâties : impôt versé par le propriétaire de terres et terrains de toute nature.

☐ La taxe d'habitation : impôt payé par le propriétaire ou le locataire d'une habitation meublée.

☐ La taxe professionnelle : impôt payé par les personnes physiques ou morales exerçant une activité professionnelle non salarié (commerçant, industriels, artisans...).

En payant ces quatre impôts directs locaux, on participe en même temps au financement de budgets de la commune, de la communauté urbaine [*p. 100*] (ou du district), du département, de la région.

Les taux d'imposition sont variables d'une commune à une autre et peuvent changer chaque année.

LE BUDGET DE LA COMMUNE

■ Où va l'argent ?
Les dépenses

Frais de personnel
- Traitements
- Indemnités
- Charges sociales

Services publics communaux
- État civil, pompes funèbres, lutte contre l'incendie,
- Enlèvement des ordures ménagères,
- Construction et fonctionnement des écoles,
- Culture, loisirs, sports.

Participations et subventions
- Charges obligatoires relatives au fonctionnement des services inter-communaux (ex. : districts, commu-nauté urbaine…).
- Subventions versées aux associa-tions (comité des fêtes, groupes sportifs, etc.)
- Voirie : éclairage, espaces verts.

Autres dépenses
Denrées, fournitures, services exté-rieurs.

Dépenses d'équipement
- Achat de biens meubles et im-meubles
- Travaux divers
- Équipements sportifs et culturels

Remboursement des emprunts

■ D'où vient l'argent ?
Les recettes

Produits d'exploitation et doma-niaux relatifs aux services rendus aux usagers
Crèches, piscines, cantines, colonies

Dotation globale de fonctionne-ment versée par l'État

Recettes fiscales
- Les quatre impôts directs locaux.
- Diverses taxes : taxe d'enlèvement des ordures ménagères, taxe de balayage, taxe de séjour, etc.

Subventions reçues

Autres recettes
Ex : ventes de biens communaux.

Emprunts
Les communes ont très souvent recours aux emprunts pour financer leurs investissements. Contrairement au budget de l'État, le budget de la commune doit être présenté en équi-libre réel.

Le saviez-vous ?

Vous cherchez à obtenir une réponse à une question sur votre impôt ? Votre centre des impôts pourra y répondre.

Vous désirez un délai de paiement pour le versement de votre impôt ? Adressez-vous à la Recette perception dont vous dépendez (ou à la Recette des finances).

ÉTAT

VIE POLITIQUE

ADMINISTRATION

COLLECTIVITÉS LOCALES

JUSTICE

INTERNATIONAL

Le groupement des collectivités territoriales

La coopération des collectivités territoriales permet de réduire les disparités entre elles et d'assurer un développement équilibré d'une zone géographique.

Différents types de structures juridiques de coopération peuvent exister en fonction de l'importance des collectivités territoriales et des projets communs à réaliser.

La coopération internationale ou coopération décentralisée

Elle concerne toutes les formes de coopération entre les collectivités territoriales et étrangères.

La coopération interrégionale

Constituée entre deux ou trois régions limitrophes, elle est administrée par un Conseil composé de représentants des régions membres. L'entente interrégionale peut évoluer vers une intégration progressive.

La coopération intercommunale

Tout en respectant l'autonomie de chaque conseil municipal, elle favorise l'action en commun par la création d'un établissement public. Cette coopération peut revêtir plusieurs formes en fonction des objectifs recherchés :

□ syndicats à vocation unique (un seul service) et syndicats à vocation multiple (plusieurs services) : pour la mise en place de services publics tels que l'eau, les ordures ménagères, l'assainissement ;

□ district : pour la gestion d'un centre de secours contre l'incendie et celle des logements par exemple ;

□ communauté de villes : pour les agglomérations de plus de 20 000 habitants ou communauté de communes en milieu rural pour assurer des actions d'aménagement de l'espace et de développement économique ;

□ communautés urbaines : elles exercent des compétences dans les domaines de l'aménagement de l'espace, du développement économique et de la réalisation des principaux équipements urbains. Il en existe neuf en France : Bordeaux, Brest, Cherbourg, Le Creusot, Dunkerque, Lille, Lyon, Le Mans, Strasbourg.

La fusion

La fusion est l'opération qui consiste, pour deux ou plusieurs communes, à réunir leurs patrimoines afin de créer une nouvelle commune.

UNE COMMUNAUTÉ URBAINE : LE GRAND LYON

Créée par la loi du 31 décembre 1966, la communauté urbaine de Lyon appelée « le Grand Lyon » rassemble 55 communes et 1 152 000 habitants sur un terri-toire de 50 000 hectares.

Les 55 communes du Grand Lyon

■ Compétences

Les domaines d'intervention de la communauté urbaine sont :
- l'urbanisme. Schéma directeur de l'agglomération lyonnaise. Plans d'occupation des sols. Chartes inter-communales de développement et d'aménagement. Création et équipe-ment de zones industrielles, artisa-nales et d'habitat ;
- le logement. Politique de logement intégrant des logements sociaux à des programmes privés ;
- les équipements publics. Voirie et signalisation, parcs de stationnement. Sécurité civile et environnement, col-lecte et traitement des déchets urbains, transports urbains de voyageurs, abat-toirs et marchés d'intérêt national, création et extension de cimetières ;
- la gestion de certains services pu-blics. Service de lutte contre l'incendie, service des transports urbains de voya-geurs, propreté, eau et assainissement.

■ Fonctionnement

- Conseil de communauté : 140 membres élus à la proportionnelle démographique par les conseils municipaux de toutes les communes représentées. Il se réunit une fois par mois et délibère sur les rapports pré-sentés par le président.
Exécutif : le bureau comprend un pré-sident et vingt-quatre vice-prési-dents. Il se réunit tous les quinze jours et statue sur les affaires courantes de la communauté.

ÉTAT

VIE POLITIQUE

ADMINISTRATION

COLLECTIVITÉS LOCALES

JUSTICE

INTERNATIONAL

L'organisation administrative de Paris

Paris est la capitale d'un État fortement centralisé. Au dernier recensement, la population totale de Paris était de 2 152 000 habitants, celle de la région Ile-de-France 10 700 000 habitants.

▬▬ Le statut de Paris : une commune et un département

La loi du 31 décembre 1975 a fait de Paris une commune [*p. 92*], dont l'organisation est régie pour l'essentiel par le Code des communes.

▬▬ Le maire

□ La commune de Paris est administrée par un maire et un conseil municipal [*p. 96*] — dénommé Conseil de Paris — composé de 163 élus, conseillers de Paris. L'élection des conseillers de Paris se déroule dans le cadre du secteur électoral, chaque secteur représentant un arrondissement. Il y a 20 arrondissements à Paris.

□ Le maire est élu par les conseillers de Paris pour six ans.

Il ne peut pas être président du conseil régional d'Ile-de-France, mais il peut être membre du gouvernement.

Il n'est pas responsable de la police municipale qui revient au préfet de police, haut fonctionnaire nommé par l'État.

▬▬ Le Conseil de Paris

□ Le territoire de Paris recouvre deux collectivités territoriales : la commune de Paris et le département de Paris.

□ Une même assemblée, « le Conseil de Paris », siège :

— soit en formation de conseil municipal [*p. 96*], présidée par le maire de Paris ;

— soit en formation de conseil général [*p. 88*], dont le maire de Paris est président.

▬▬ Les conseils d'arrondissement

□ La loi du 31 décembre 1982 a institué pour les communes de Paris, Marseille et Lyon de nouvelles structures élues à l'échelon local : le conseil d'arrondissement et le maire d'arrondissement.

□ Les élus de Paris sont au nombre de 517 : 163 conseillers de Paris, 354 conseillers d'arrondissement.

□ Le conseil d'arrondissement est présidé par un maire d'arrondissement, élu parmi les membres du conseil municipal.

LES VINGT ARRONDISSEMENTS DE PARIS

Palais de l'Élysée
55-57, rue du
Faubourg Saint-Honoré
75008 Paris

Hôtel de Ville
29, rue de Rivoli
75004 Paris

PORTE DE
CLIGNANCOURT

PORTE DE
LA VILLETTE

PORTE
DE CLICHY

PORTE DE
LA CHAPELLE

18

PORTE
CHAMPERET

17

Sacré-
cœur

Géode de
la Villette

PORTE
DE PANTIN

19

PORTE
MAILLOT

Gare du
Nord

PORTE
DAUPHINE

Palais
des
congrès

Arc de
triomphe

8

Gare St-Lazare
Madeleine

9

Gare de l'Est

Champs Élysées

Opéra

10

PORTE DE
BAGNOLET

16

Concorde

Place
Vendôme

Bourse

2

3

Maison de
la radio

7

Musée
d'Orsay

1

Centre
Pompidou

11

20

PORTE
D'AUTEUIL

6

Notre-Dame

4

PORTE DE
VINCENNES

PORTE DE
ST-CLOUD

15

Gare
Montparnasse

Panthéon

12

PORTE
DE SÈVRES

Tour
Montparnasse

5

Gare
d'Austerlitz

PORTE DE
CHARENTON

PORTE DE
VERSAILLES

14

13

PORTE
DE VANVES

PORTE
D'ORLÉANS

PORTE
DE BERCY

PORTE
D'ITALIE

Hôtel Matignon
57, rue de Varenne
75007 Paris

Sénat
Palais du Luxembourg
15, rue de Vaugirard
75006 Paris

Assemblée nationale
Palais Bourbon
126, rue de l'Université
75007 Paris

Les rues de Paris

- la rue la plus longue :
  rue de Vaugirard : 4 360 m
- la plus courte :
  rue des Degrés : 5,75 m
- la plus large :
  avenue Foch : 120 m
- la plus étroite :`
  rue du Chat-qui-Pêche : 2,50 m

ÉTAT

VIE POLITIQUE

ADMINISTRATION

COLLECTIVITÉS LOCALES

JUSTICE

INTERNATIONAL

Les départements d'outre-mer

Les institutions publiques des départements d'outre-mer ont plusieurs objectifs : préserver les particularités locales, maintenir et renforcer l'attachement à la République française.

▬▬▬ Département de la Guadeloupe

- Chef-lieu : Basse-Terre.
- Villes principales : Pointe-à-Pitre, Saint-Martin, Saint-Barthélémy.
- Situation : archipel des Antilles, formé de neuf îles principales dans la mer des Caraïbes (La Désirade, les Saintes, Marie-Galante…).
- Ressources : sucre, banane, rhum, tourisme, élevage.

▬▬▬ Département de la Martinique

- Chef-lieu : Fort-de-France.
- Villes principales : La Trinité, Le Marin, Sainte-Marie, Le Lamentin.
- Situation : dans la mer des Caraïbes, l'île a 80 km de long sur 30 de large.
- Ressources : sucre, banane, ananas, rhum, avocat, tourisme.

▬▬▬ Département de la Guyane

- Chef-lieu : Cayenne.
- Villes principales : Saint-Laurent-du-Maroni, Kourou, Sinnamary.
- Situation : sur la côte nord-est de l'Amérique du Sud.
- Ressources : bois, pêche, agriculture, centre spatial de Kourou.

▬▬▬ Département de la Réunion

- Chef-lieu : Saint-Denis.
- Villes principales : Saint-Pierre, Saint-Paul, Saint-Benoît, Le Tampon, Saint-Joseph, Saint-André, Saint-Louis, Le Port.
- Situation : dans l'océan Indien, à 800 km à l'est de Madagascar.
- Ressources : sucre, rhum, essences végétales, élevage, pêche.

▬▬▬ L'organisation administrative des départements d'outre-mer

- Dans l'ensemble, la législation et la réglementation métropolitaines s'appliquent aux départements d'outre-mer. L'organisation administrative des services de l'État et le rôle des services départementaux sont les mêmes qu'en métropole.
- Chaque département possède, en plus, un conseil régional [*p. 82*] élu au suffrage universel direct, doté de larges compétences et assisté chacun d'un Comité économique et social.
- Depuis la création de l'Union européenne, les départements d'outre-mer s'intègrent progressivement dans l'espace communautaire.

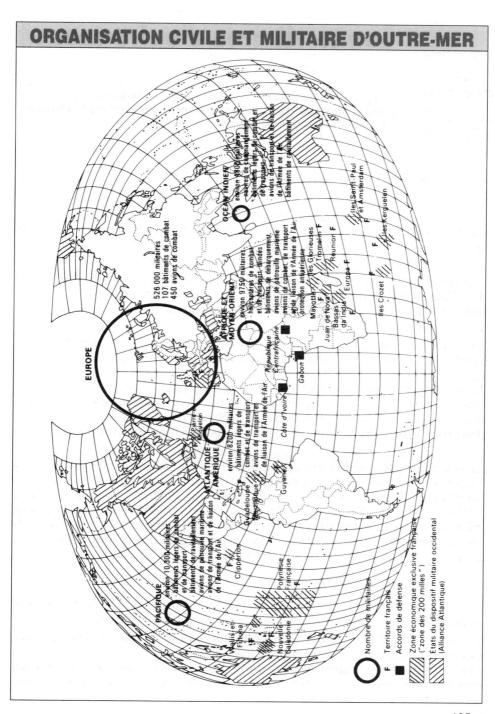

ATLANTIQUE ET AMÉRIQUE

environ 8200 militaires
bâtiments légers de
combat et de transport
avions de transport et
de liaison de l'Armée de l'Air

PACIFIQUE

environ 10 300 militaires
bâtiments légers de combat
et de transport
bâtiment d'ravitaillement
avions de patrouille maritime
avions de transport et de liaison
de l'Armée de l'Air

AFRIQUE ET MOYEN-ORIENT

environ 9750 militaires,
hélicoptères de combat
et de manoeuvre, bâtiments
bâtiments de débarquement,
avions de patrouille maritime
avions de combat de transport
aide de liaison de l'Armée de l'Air
protection antiaérienne

OCÉAN INDIEN

environ 3800 militaires
navires de commandement,
navires légers de combat et
de transport - avions de combat,
avions de transport et de liaison
de l'Armée de l'Air
bâtiments de ravitaillement

EUROPE

526 000 militaires
107 bâtiments de combat
450 avions de combat

Saint-Pierre et Miquelon

Guadeloupe F
Martinique F
Clipperton F
Guyane F

Côte d'Ivoire
Gabon F
République Centrafricaine

Mayotte Iles Glorieuses
Juan de Nova F Tromelin F
Bassas da India F Réunion F
Europa F

Iles Crozet
Iles Kerguelen
Iles Saint-Paul et Amsterdam F

Polynésie Française F
Wallis et Futuna F
Nouvelle Calédonie F

Légende :

○ Nombre de militaires

F Territoire français

■ Accords de défense

Zone économique exclusive française
("zone des 200 milles")

États du dispositif militaire occidental
(Alliance Atlantique)

ÉTAT	
VIE POLITIQUE	
ADMINISTRATION	
COLLECTIVITÉS LOCALES	
JUSTICE	
INTERNATIONAL	

Les territoires d'outre-mer et les collectivités territoriales

Les territoires d'outre-mer font partie de la République française, mais pas de l'Union européenne. Ils sont représentés à l'Assemblée nationale et au Sénat.

Les territoires d'outre-mer

Nouvelle-Calédonie
Île de la Nouvelle-Calédonie, île des Pins, îles Loyauté, îles du Nord, situées dans l'océan Pacifique. Son organisation institutionnelle est prévue par la loi référendaire du 9 novembre 1988.

Polynésie française
150 îles dans la partie orientale du Pacifique. Îles de la Société, l'archipel des Tuamotu-Gambier, l'archipel des Marquises, les îles australes. Elle bénéficie depuis la loi du 12 juillet 1990 d'un régime d'autonomie interne.

Wallis et Futuna
Deux archipels situés à 230 km l'un de l'autre au nord d'une ligne allant des îles Fidji aux Samoa, à 2 000 km de la Nouvelle-Calédonie et à 300 km de Tahiti.
Territoires d'outre-mer, Wallis et Futuna disposent d'un statut d'autonomie. Depuis 1987, un administrateur supérieur représente le gouvernement de la République, il préside un Conseil territorial de six membres dont trois membres de droit (les trois chefs ou « rois » de Wallis et Futuna).

Les Terres australes et antarctiques françaises (TAAF)
Elles sont divisées en quatre districts très éloignés les uns des autres : îles Saint-Paul et Amsterdam, îles des Crozet, îles des Kerguelen, Terre Adélie.
Territoires d'outre-mer, les Terres australes et antarctiques (leur siège est à Paris) sont placées sous l'autorité d'un administrateur supérieur qui relève directement du ministère des DOM-TOM. Un conseil [p. 40] consultatif de sept membres est chargé d'assister le chef du territoire. Les TAAF n'ont pas de représentants parlementaires.

Les collectivités territoriales

Saint-Pierre-et-Miquelon : situé dans l'océan Atlantique, à l'entrée du golfe du Saint-Laurent, à moins de 25 km des côtes de Terre-Neuve.

Mayotte : île qui fait partie de l'archipel des Comores, à l'entrée nord du canal du Mozambique, dans l'océan Indien.
Collectivités territoriales de la République, Saint-Pierre-et-Miquelon ainsi que Mayotte sont administrés par un conseil général. Un préfet [p. 90], représente le gouvernement.

SUPERFICIES ET POPULATION

■ Les superficies et le nombre d'habitants

	Superficie (en km^2)	Nombre d'habitants	Distance de Paris (en km)
Départements d'outre-mer			
Guadeloupe	1 780	386 600	6 792
Martinique	1 100	359 800	6 858
Guyane	90 000	114 900	7 072
Réunion	2 510	596 600	9 342
TOTAL	95 390	1 457 900	
Territoires d'outre-mer			
Nouvelle-Calédonie	19 103	164 200	16 743
Polynésie française	4 200	188 800	17 500
Wallis et Futuna (îles)	274	13 705	22 000
TAAF	439 603	200	
TOTAL	463 180	366 905	
Collectivités territoriales			
Mayotte	375	94 400	7 953
Saint-Pierre-et-Miquelon (îles)	242	6 300	4 750
TOTAL	617	100 700	
TOTAL GÉNÉRAL	559 187	1 925 505	

Recensement 1990

■ Les statuts

- Nouvelle-Calédonie :
loi du 9 novembre 1988
- Polynésie :
loi du 6 septembre 1984 et 12 juillet 1990
- Saint-Pierre-et-Miquelon :
loi du 11 juin 1985 statut de l'archipel.
- Mayotte :
loi du 22 décembre 1979.

Une population mobile

L'immigration des personnes nées dans les DOM-TOM vers la métropole se développe de manière continue depuis près de trente ans.

Trois départements fournissent l'essentiel de cette immigration : la Martinique, la Guadeloupe et la Réunion. Les raisons économiques en constituent la motivation.

L'Île-de-France demeure la première région d'implantation des natifs des DOM-TOM (pour les Antillais 73 %, pour les Réunionnais 35 %).

Dans les TOM, la monnaie utilisée est le franc du Pacifique (100 CFP = 5,50 FF).

ÉTAT
VIE POLITIQUE
ADMINISTRATION
COLLECTIVITÉS LOCALES
JUSTICE
INTERNATIONAL

Les différents tribunaux

Les tribunaux veillent à l'application des règles de droit ; placés sous la responsabilité de l'État, ils rendent la justice « Au nom du peuple français ». Il existe ainsi de nombreuses juridictions aux compétences différentes.

▬▬▬ Le Tribunal des conflits

Une affaire complexe dépend-elle des juridictions administratives ou des juridictions judiciaires ? C'est le Tribunal des conflits qui décide quelle est la juridiction compétente.

▬▬▬ Les juridictions administratives

Le Conseil d'État et les tribunaux administratifs sont compétents pour régler les conflits entre les individus et l'Administration et entre les administrations. Selon la nature de l'affaire, c'est le Conseil d'État ou le tribunal administratif qui examine les recours après les élections ou les différends entre les individus et les collectivités locales.

▬▬▬ Les juridictions judiciaires pénales

La cour d'assises, le tribunal correctionnel, le tribunal de police [*p. 124, 122 et 120*] répriment et sanctionnent les atteintes à la loi. La gravité de l'infraction détermine le tribunal qui juge.

▬▬▬ Les juridictions judiciaires civiles

Le tribunal d'instance est compétent pour certaines affaires prévues par la loi et jusqu'à 30 000 F.
Le tribunal de grande instance [*p. 116 et 118*] règle les problèmes nés des relations entre individus (dettes, contrats, divorces, etc.). Le juge aux affaires familiales (instauré par la loi du 8 janvier 1993 et applicable au 10 février 1994) est un magistrat du TGI. Il veille à la sauvegarde des intérêts du mineur. Il règle la gestion de pension alimentaire et peut prononcer seul un divorce.

▬▬▬ Les juridictions civiles spécialisées

Elles sont compétentes au cours de l'activité professionnelle : le conseil de prud'hommes, le tribunal de commerce, le tribunal paritaire des baux ruraux, la commission de la Sécurité sociale, le juge des loyers commerciaux.

▬▬▬ Les juridictions judiciaires de recours

La cour d'appel [*p. 132*] rejuge lorsqu'une des parties n'est pas satisfaite du jugement.
La Cour de cassation [*p. 134*] juge la forme du jugement et assure une certaine uniformité dans l'interprétation des lois.

ORGANISATION SIMPLIFIÉE DES TRIBUNAUX

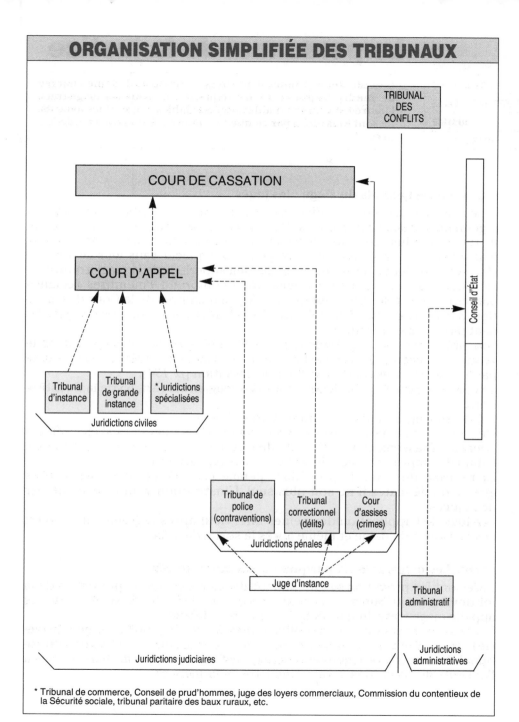

* Tribunal de commerce, Conseil de prud'hommes, juge des loyers commerciaux, Commission du contentieux de la Sécurité sociale, tribunal paritaire des baux ruraux, etc.

ÉTAT

VIE POLITIQUE

ADMINISTRATION

COLLECTIVITÉS LOCALES

JUSTICE

INTERNATIONAL

Le personnel de la justice

Il existe deux grandes catégories de personnel. L'une chargée de rendre la justice ou de requérir : ce sont les magistrats. L'autre est chargée d'aider les justiciables : ce sont les avocats. Ils sont tous aidés par ce que l'on appelle les auxiliaires de justice.

Les magistrats du siège : les juges

□ Les juges instruisent les affaires et tranchent les conflits en rendant des jugements ou des ordonnances. On les appelle les magistrats du siège car ils rendent la justice assis. Nommés par le gouvernement [*p. 40*], ils sont inamovibles, c'est-à-dire qu'on ne peut les déplacer sans leur accord, ils répondent de leurs actes devant le Conseil supérieur de la magistrature.

□ Le Conseil supérieur de la magistrature comprend 9 membres désignés par le président de la République [*p. 36*] : 3 membres de la Cour de cassation, 3 magistrats du siège, 1 Conseiller d'État et 2 personnalités n'appartenant pas à la magistrature.

Son président est le président de la République, son vice-président le Garde des sceaux. Quand il est réuni en conseil de discipline, il est présidé par le Premier président de la Cour de cassation [*p. 134*].

Le CSM est garant de l'indépendance des magistrats (art. 65 de la Constitution).

□ Certains juges ont des fonctions particulières :

- le juge d'instruction, c'est un magistrat du siège qui est saisi des affaires pénales. Il rassemble les éléments du dossier et renvoie l'affaire devant le tribunal compétent. Il décide de la détention provisoire.

La réforme du code de procédure pénale prévoit que dans les affaires graves ou délicates il ne soit plus seul. L'instruction peut être suivie par deux juges.

- Le juge de l'application des peines intervient après le jugement pendant l'exécution de la peine et même après la sortie de prison.

Les magistrats du parquet ou ministère public

□ Ce sont les procureurs et les substituts. Ils réclament l'application de la loi devant les tribunaux, ils sont chargés de défendre la société. On les appelle magistrats du parquet, ils requièrent debout.

□ Les procureurs dirigent la police judiciaire [*p. 70*] (police et gendarmerie), ils reçoivent les plaintes et veillent à l'exécution des décisions du tribunal. Nommés par le gouvernement, c'est un corps hiérarchisé soumis à l'autorité du Garde des sceaux (ministre de la Justice).

LES AUXILIAIRES DE JUSTICE

■ Les avocats

Ce sont des auxiliaires de la justice. Ils servent d'intermédiaire entre le plaideur et le juge. Spécialistes du Droit, ils conseillent soit en renseignant, soit en aidant à rédiger un acte, soit en cherchant un règlement amiable. Ils assistent le justiciable dans ses contacts avec les juridictions. Ils prennent la parole devant le tribunal et rédigent les actes qui exposent les points de vue du plaideur. Ils représentent le demandeur ou le défendeur et accomplissent les actes en leur nom. L'ensemble des avocats établis près d'un tribunal de grande instance constitue le barreau. Son président est appelé bâtonnier.

■ Les avoués

Les avoués exercent devant la cour d'appel [*p. 132*] et rédigent les actes de la procédure, en particulier les déclarations d'appel, mais ils ne plaident pas devant la cour.

■ Les huissiers

Les huissiers portent à domicile les décisions de justice ou les assignations, ils font des constats à la demande des particuliers ou des magistrats. Ils pratiquent les saisies.
Dans le cas d'une saisie mobilière, l'huissier se présente au domicile muni du « titre exécutoire ». S'il y a des biens à saisir, il dresse un procès-verbal de saisie pour procéder à la vente par la suite. Dans le cas où il n'y a rien à saisir, il dresse un procès verbal de carence.

■ Les greffiers

Ce sont des fonctionnaires chargés de l'administration des juridictions. Ils conservent les scellés, l'argent consigné lors d'un procès et les archives. Ils assistent aux audiences et gardent les traces de leur déroulement. Ils consignent les interrogatoires menés par les juges d'instruction. Ils tiennent les registres du tribunal et sont dépositaires des minutes, c'est-à-dire des originaux des jugements. Ils délivrent des expéditions des jugements ou des arrêts. On compte dans la justice française 1 555 greffiers en chef et 5 717 greffiers.

L'aide juridictionnelle

Elle permet à tout justiciable ne bénéficiant pas de ressources suffisantes d'obtenir une aide lors d'une action en justice. La demande doit être adressée au bureau d'aide juridictionnelle établi auprès du tribunal de grande instance. Cette aide, réactualisée chaque année, varie en fonction du montant des revenus. À titre d'exemple, en 1994, pour des ressources inférieures à 4 500 francs, l'aide s'élevait à 100 % des frais de procédure, pour des ressources de 6 500 francs mensuels, la contribution de l'État couvrait 15 % des frais.

ÉTAT
VIE POLITIQUE
ADMINISTRATION
COLLECTIVITÉS LOCALES
JUSTICE
INTERNATIONAL

Le tribunal administratif

Le tribunal administratif juge les litiges entre l'Administration et les particuliers. Le particulier peut demander l'annulation d'une décision de l'Administration, c'est le recours en excès de pouvoir, ou demander réparation, c'est le recours en pleine juridiction.

▬▬▬ Qui juge ?

☐ Ce ne sont pas des magistrats, ce sont d'anciens élèves de l'École nationale d'Administration (ENA). Fonctionnaires nommés par décret, ils dépendent du ministre de l'Intérieur [*p. 70*].
☐ Ils sont indépendants mais ne sont pas inamovibles [*p. 68*].

▬▬▬ Quelles affaires le tribunal administratif juge-t-il ?

☐ Il juge : tout ce qui concerne une décision de l'Administration, la plupart des dommages entraînés par l'activité de l'Administration, tous les contrats passés par l'Administration, les litiges relatifs aux impôts directs et à la TVA.
☐ Exceptions : les accidents de la circulation (même si un véhicule de l'Administration est en cause), les impôts indirects, les litiges concernant les services publics industriels (SNCF, EDF...) pour lesquels les juridictions judiciaires restent compétentes.

▬▬▬ Quand recourir au tribunal administratif ?

☐ Soit après, soit en l'absence d'une décision de l'Administration.

Cas particuliers : Élections municipales ou cantonales, vous n'avez que 15 jours pour en contester les résultats.

LA PROCÉDURE

■ Avant l'action

Avant d'agir devant le tribunal administratif, deux solutions existent :
- le recours gracieux en s'adressant à l'Administration avec laquelle existe le litige ;
- le recours hiérarchique en s'adressant à l'autorité supérieure, par exemple au préfet pour la décision prise par le maire.

■ Comment engager l'action ?

Le tribunal compétent est celui du lieu du contentieux, par exemple le lieu du dommage ou le lieu où est situé un immeuble dans le cas d'un problème d'urbanisme. Dans les autres cas, il faut saisir le tribunal administratif dont dépend l'administration qui a pris la décision contestée.

Le tribunal est saisi par l'envoi d'une lettre recommandée dans laquelle on expose ses griefs et ses prétentions, c'est la requête.

Toute la procédure est écrite, au moment de l'audience un juge (le commissaire du gouvernement) expose les faits et les arguments de chacun. Il s'appuie sur le dossier et présente ses conclusions au tribunal.

Il n'est pas chargé de défendre l'Administration, il doit éclairer le tribunal et peut conclure pour une condamnation de l'État.

Les juges, trois en général, se réunissent pour prendre une décision, et rendent leur jugement à une date qu'ils précisent à la fin de l'audience. Cette action qui consiste à rendre un jugement non à l'issue de l'audience mais plus tard, s'appelle la mise en délibéré.

Le jugement est notifié aux intéressés par lettre recommandée.

■ Quelles peuvent être les décisions du tribunal ?

Le tribunal administratif peut annuler la décision de l'Administration si la loi n'a pas été respectée. Il peut aussi attribuer une indemnité pour réparer le dommage causé à quelqu'un par l'Administration.

■ Y a-t-il des voies de recours ?

L'appel est possible devant le Conseil d'État [p. 114]. L'assistance d'un avocat au Conseil d'État est alors obligatoire.

La compétence administrative

À l'origine furent créés dans chaque département par la loi du 28 pluviose, an VIII, les conseils de préfecture. Ils furent transformés en conseils de préfecture interdépartementaux en 1926. Le décret du 30 septembre 1953 leur a donné l'appellation de tribunaux administratifs. À côté de compétences juridictionnelles, ils disposent de compétences administratives. Ils peuvent être appelés à donner leur avis sur des questions que leur soumettent les préfets.

ÉTAT

VIE POLITIQUE

ADMINISTRATION

COLLECTIVITÉS LOCALES

JUSTICE

INTERNATIONAL

Le Conseil d'État

Il fut créé par la Constitution de l'an VIII. Il siège au Palais-Royal. Le Conseil d'État participe ou aide par ses conseils à rédiger des projets de loi et de décrets. Le Conseil d'État est ensuite chargé de juger les litiges dans lesquels l'Administration est mise en cause. Il devient ainsi la juridiction suprême en matière administrative.

▬▬▬ Qui est membre du Conseil d'État ?

☐ Les membres du Conseil d'État sont des fonctionnaires [*p. 65*] et non des magistrats, ils ne sont pas inamovibles. Il y a quatre grades parmi le personnel du Conseil d'État :
- Les auditeurs de seconde classe issus de l'École nationale d'Administration (ENA) et les auditeurs de première classe choisis parmi les précédents.
- Les maîtres des requêtes, 3/4 sont pris parmi les auditeurs, 1/4 vient de l'Administration.
- Les conseillers d'État, recrutés 2/3 parmi les maîtres des requêtes et 1/3 dans l'Administration.
- Il existe aussi des conseillers d'État en service extraordinaire, ils sont nommés pour une durée limitée par le gouvernement en raison de leurs compétences.
☐ Le Premier ministre [*p. 38*] est le président du Conseil d'État, son suppléant est le ministre de la Justice. Ils assurent très rarement cette fonction qui est exercée par le vice-président du Conseil d'État.
☐ Les auditeurs et les maîtres des requêtes préparent les dossiers qui seront ensuite examinés par les différentes formations du Conseil d'État.
☐ Les conseillers d'État délibèrent et décident sur les affaires qui leur sont soumises.

▬▬▬ Quel est le rôle du Conseil d'État ?

☐ Il a un double rôle, celui de conseil et celui de juge.
Un rôle de conseil pour les textes élaborés par le gouvernement [*p. 40*] (qui peut ne pas en tenir compte), un rôle consultatif sur l'interprétation d'un texte administratif. Il donne son avis sur des décisions d'intérêt public : association, naturalisation, changement de nom par exemple.
☐ Le rôle juridictionnel est triple :
1. Il juge directement certaines affaires importantes, de portée nationale, annulation de décrets [*p. 50*], nomination de hauts fonctionnaires, décision d'un ordre professionnel : médecins, architectes, par exemple.
2. Il juge en appel les décisions des tribunaux administratifs [*p. 112*].
3. Il est juge de cassation des juridictions administratives spéciales : commissions des pensions de guerre, des rapatriés, des conseils de l'ordre... et Cour des comptes.

L'ORGANISATION DU CONSEIL D'ÉTAT

FORMATIONS ADMINISTRATIVES
RÔLE DE CONSEIL

Assemblée Générale

Commission permanente

| Section des finances | Section des travaux publics | Section de l'intérieur | Section sociale |

FORMATIONS CONTENTIEUSES
RÔLE DE JUGE

Assemblée du contentieux
(affaires importantes)

Section du contentieux
(affaires délicates)

1   2   3   4   5   6   7   8   9   10

Sous-sections chargées d'instruire les affaires

1 2   3 4   5 6   7 8   9 10

Sous-sections réunies, chargées de juger

Si un jugement est contesté, le délai pour l'appel est de deux mois. La procédure est identique à celle du tribunal administratif, cependant l'assistance d'un avocat au Conseil d'État est obligatoire et toutes les observations sont faites par écrit.

La Cour des comptes

La Cour des comptes contrôle les comptes de l'Administration. Elle vérifie la bonne utilisation de l'argent de l'État. En cas d'irrégularité elle forme une cour de discipline budgétaire et financière qui instruit les affaires et peut condamner à des amendes.
La Cour des comptes rédige un rapport annuel, dans lequel elle donne le résultat de ses vérifications et elle présente des suggestions pour améliorer les résultats des comptes publics.

ÉTAT

VIE POLITIQUE

ADMINISTRATION

COLLECTIVITÉS LOCALES

JUSTICE

INTERNATIONAL

Le tribunal d'instance

> Le tribunal d'instance juge rapidement les affaires les plus simples entre les individus : litiges relatifs à des loyers, à des dettes, à des affaires de petits montants, par exemple. Le juge est unique. Des recours sont possibles en cas de contestation de sa décision.

▬▬▬ Quelles affaires le tribunal d'instance juge-t-il ?

☐ Le tribunal d'instance est compétent pour les litiges relatifs :
- aux loyers
- à la saisie des rémunérations
- à la tutelle des mineurs et des majeurs handicapés
- au affaires qui mettent en jeu des sommes inférieures à 30 000 F
- au surendettement.

☐ Le tribunal compétent est celui du domicile du défendeur sauf s'il s'agit d'un mineur ou d'un majeur incompétent, dans ce cas le tribunal est celui du domicile de la personne à protéger.

☐ Depuis le 10 février 1994, les questions de pension alimentaire ne sont plus du ressort du tribunal d'instance mais sont de la compétence du juge aux affaires familiales.

▬▬▬ Qui juge au tribunal d'instance ?

☐ Un juge unique, car les affaires sont simples et nécessitent une décision rapide. Souvent le juge cherchera à privilégier une conciliation entre les adversaires.

☐ Les attributions du juge d'instance sont gracieuses lorsqu'il tente une conciliation entre les adversaires, elles sont contentieuses lorsqu'il tranche dans un procès.

▬▬▬ Y a-t-il des recours contre la décision du juge d'instance ?

Il y en a quatre :
- l'opposition du défendeur absent et non représenté au procès ;
- la tierce opposition faite par une personne étrangère au procès mais qui peut être concernée par la décision ;
- l'appel [*p. 132*] si une des parties n'est pas satisfaite et que l'affaire porte sur une réclamation supérieure à 13 000 F. Le délai est d'un mois ;
- le pourvoi en cassation si l'une des parties estime que la procédure [*p. 134*] n'a pas été régulière et s'il n'est pas possible de faire appel en raison du montant du litige.

LES PROCÉDURES

Au tribunal d'instance, comment une affaire se déroule-t-elle ?
On peut soit se défendre seul, soit se faire représenter (la présence d'un avocat n'est pas obligatoire). Trois possibilités peuvent se présenter.

■ Possibilité 1 : la conciliation

Le demandeur s'adresse au tribunal pour faire comparaître son adversaire. Le juge tente une conciliation.

■ Possibilité 2 : le jugement

Si la conciliation échoue, le juge délivre la citation à comparaître devant le tribunal.

À l'audience, le tribunal est informé de la nature du litige et des réclamations. Après avoir entendu les parties, le juge décide.

■ Possibilité 3 : l'injonction de payer

Dans le cas d'une dette non payée, le créancier présente sa requête au juge. Si le juge estime la créance justifiée il autorise l'injonction de payer (on demande au débiteur de payer sa dette).
L'injonction de payer est signifiée par exploit d'huissier ou par lettre recommandée du greffier.

JUGE

ce n'est pas exact...

je réclame... ...

DÉFENDEUR

DEMANDEUR

ÉTAT

VIE POLITIQUE

ADMINISTRATION

COLLECTIVITÉS LOCALES

JUSTICE

INTERNATIONAL

Le tribunal de grande instance

Il juge les affaires complexes sur le plan des personnes et sur celui des biens. Les audiences sont publiques, sauf dans le cas d'affaires familiales où le procès a lieu en chambre du conseil.

▬▬▬ Quelles affaires le tribunal de grande instance juge-t-il ?

☐ Le tribunal de grande instance est compétent pour les affaires relatives aux personnes : divorce, filiation, adoption, successions, nationalités, rectification d'état civil.

☐ Il est également compétent pour certaines affaires relatives aux biens : droit de propriété, brevet d'invention, saisie d'immeubles, expropriation, affaires qui mettent en jeu des sommes supérieures à 30 000 F.

☐ Le tribunal compétent territorialement est toujours celui du défendeur sauf s'il s'agit : d'un immeuble, d'une succession, d'un contrat : le tribunal est celui du lieu où ils sont situés ou exécutés.

Ou il s'agit d'une pension alimentaire, le tribunal est alors celui du demandeur.

☐ La présence d'un avocat est obligatoire.

▬▬▬ Qui juge au tribunal de grande instance ?

☐ Trois juges, c'est une juridiction collégiale.

☐ Le président peut statuer sur le fond du litige en cas d'urgence, par une ordonnance de référé. Il est juge des référés.

☐ Le président peut satisfaire la requête d'une des parties, protéger les biens réclamés (par exemple). Il est alors juge des requêtes.

▬▬▬ Y a-t-il des recours contre la décision du tribunal de grande instance ?

Les voies de recours sont les mêmes que pour le tribunal d'instance [*p. 116*], l'opposition, la tierce opposition, l'appel, le pourvoi en cassation.

▬▬▬ Où trouve-t-on un tribunal de grande instance ?

Il existe en France 181 tribunaux de grande instance : au moins un par département et un dans les arrondissements importants de Paris, Lyon ou Marseille.

LE DÉROULEMENT D'UNE AFFAIRE

Au tribunal de grande instance, comment une affaire se déroule-t-elle ?

■ Introduction de l'instance

L'assignation : le défendeur est mis au courant du contenu exact du litige et des réclamations faites par le demandeur ; cet acte rédigé par un huissier est appelé exploit d'huissier.

■ Instruction de l'affaire

La reproduction de l'acte d'assignation est remise au greffe.
Le greffier inscrit l'affaire au rôle et lui donne un numéro.
Le défendeur charge un avocat de le défendre, les parties échangent leurs prétentions et leurs conclusions.

■ Jugement

À l'audience les avocats font connaître oralement leurs conclusions.

■ Le juge décide

Le greffier rédige l'original du jugement. Le jugement contient les noms des parties et le motif de la demande, les motifs ou « attendus » qui ont permis au juge de prendre sa décision, ainsi que les modalités d'exécution de la décision.
La première copie du jugement est envoyée aux avocats.
En cas de condamnation elle est signifiée par huissier à la personne condamnée.

3 JUGES

mon client refuse ce que demande...

mon client réclame...

AVOCAT

AVOCAT

DÉFENDEUR

DEMANDEUR

ÉTAT

VIE POLITIQUE

ADMINISTRATION

COLLECTIVITÉS LOCALES

JUSTICE

INTERNATIONAL

Le tribunal de police

Le tribunal de police juge les infractions appelées contraventions : cueillir des fruits chez son voisin, stationner illégalement, laisser divaguer des animaux par exemple. Les peines encourues vont jusqu'à 2 mois de prison et 15 000 francs d'amende.

Qui juge au tribunal de police ?

□ C'est le juge d'instance, assisté d'un greffier [*p. 110*], qui décide seul en matière pénale.

□ Le ministère public est représenté par le procureur de la République [*p. 110*] ou un substitut. Dans les cas les moins graves, c'est le commissaire de police [*p. 71*] qui fait office de ministère public.

Comment fonctionne le tribunal de police ?

□ La procédure normale : celui qui a commis une contravention est convoqué devant le tribunal pour répondre aux accusations portées contre lui par le ministère public. Le contrevenant peut se faire représenter par un avocat.

□ La procédure simplifiée : l'ordonnance pénale. Le juge décide à partir du dossier. Lorsque la décision du juge a été communiquée au contrevenant, celui-ci a trente jours pour payer l'amende ou pour faire opposition, dans cette dernière hypothèse le juge revient à la procédure normale.

□ L'amende forfaitaire : elle concerne les contraventions les moins graves et les plus fréquentes. Le contrevenant peut payer au moment où l'agent verbalise, ou régler par un timbre amende. Si on conteste la contravention, on revient à une procédure normale.

Y a-t-il un recours contre la décision du tribunal de police ?

Il est possible de faire appel [*p. 132*] si la peine encourue est supérieure à 5 jours de prison ou à 1 300 francs d'amende.
Sinon le pourvoi en cassation [*p. 134*] est possible.

Quels motifs pour une contravention ?

Si les contraventions concernant la circulation routière sont les plus nombreuses, il existe également les contraventions pour infraction à la législation du travail, à la législation de la pêche et de la chasse, les contraventions pour blessures involontaires, les violences et voies de fait, les outrages envers un citoyen chargé d'un ministère public.
Chaque année, environ 17 millions de procès-verbaux sont dressés en France.

L'ENQUÊTE ET L'INSTRUCTION

■ Dans quels cas est-on poursuivi par la justice pénale ?

On est poursuivi par la justice pénale après une enquête et une instruction.
L'enquête recherche qui a commis l'infraction.
L'instruction tente à la fois d'éclairer les circonstances de l'infraction et la personnalité du responsable.

■ L'enquête

L'enquête est menée par la police judiciaire (police ou gendarmerie) placée sous l'autorité du procureur. Cette enquête est déclenchée soit après une plainte de la victime, soit après la constatation de l'infraction.

■ L'instruction par le juge d'instruction

L'instruction est facultative pour les contraventions, elle est obligatoire pour les crimes.
Le juge d'instruction rassemble les renseignements sur la personnalité de l'inculpé et recherche des preuves. Il peut désigner des experts et nommer des commissions rogatoires (faire procéder à des perquisitions ou à des saisies). Le juge d'instruction délivre également les mandats d'arrêt et décide de la détention provisoire.
Lorsque l'instruction est terminée, il renvoie l'affaire devant la juridiction compétente.

■ L'instruction par la chambre des mises en accusation

En cas de renvoi devant la cour d'assises, il y a vérification d'instruction, devant la Chambre des mises en accusation. Elle confirme la juridiction qui doit juger.
Si les preuves sont insuffisantes, la chambre des mises en accusation peut délivrer un non-lieu ; au contraire si les preuves sont concordantes, elle délivre un arrêt de mise en accusation : l'inculpé devient accusé.
La chambre des mises en accusation est l'organisme d'appel des décisions du juge d'instruction.

■ La justice pénale : caractéristiques

Elle juge tous les actes qui sont des infractions à la loi. Le Code pénal contient un inventaire des infractions et des peines qui leur sont applicables.
Il y a une double action : l'action publique qui doit punir et l'action civile qui doit réparer.
Le ministère public réclame une punition au nom de la société, c'est l'action publique.
La partie civile réclame pour la victime ou sa famille la réparation du dommage, c'est l'action civile.

ÉTAT

VIE POLITIQUE

ADMINISTRATION

COLLECTIVITÉS LOCALES

JUSTICE

INTERNATIONAL

Le tribunal correctionnel

Le tribunal correctionnel juge les infractions appelées délits : le vol, l'escroquerie, l'abandon de famille par exemple. La juridiction est collégiale (trois juges). La peine encourue au tribunal correctionnel peut aller jusqu'à vingt ans d'emprisonnement.

Comment le tribunal correctionnel est-il saisi ?

☐ Par le juge d'instruction [*p. 110*] après l'enquête et l'instruction.
☐ Par le procureur après une plainte ou un flagrant délit.
☐ Par la victime si les preuves sont suffisantes pour que l'affaire ne réclame pas d'instruction.

Quel est le tribunal correctionnel qui va juger ?

Le tribunal correctionnel sur le territoire duquel le délit a été commis. Cependant d'autres tribunaux correctionnels peuvent être saisis : celui dont dépend le domicile du prévenu, celui du lieu de l'arrestation, celui du lieu de l'emprisonnement de l'inculpé.

Qui juge au tribunal correctionnel ?

Trois juges, c'est une juridiction collégiale.
Le ministère public est représenté par le procureur [*p. 110*] ou un substitut.
Si le président le décide, le juge peut être unique, pour les blessures par imprudence par exemple.

Quelle est la procédure au tribunal correctionnel ?

1. Le prévenu est interrogé sur son identité et sur les circonstances dans lesquelles l'acte a été commis.
2. Le ministère public présente les preuves, ensuite le président écoute et interroge les témoins.
3. On écoute ensuite la plaidoirie de la partie civile (si elle existe), puis intervient le procureur (ou le substitut) ; il réclame une peine ou tout simplement l'application de la loi, c'est-à-dire la peine inscrite au Code pénal pour le délit en cause. Enfin l'avocat de la défense tente d'expliquer et d'excuser le prévenu.
4. Les trois juges se retirent pour délibérer ou même se concertent à voix basse avant de rendre le jugement.
5. La sentence est prononcée par le président, elle est motivée et rendue publiquement.
Les procès du tribunal correctionnel sont publics.

LA NATURE DES INFRACTIONS JUGÉES PAR LES TRIBUNAUX CORRECTIONNELS

■ Les infractions contre les biens

- le vol
- l'escroquerie
- l'abus de confiance
- le chantage
- le recel
- l'émission de chèques sans provisions
- les violences contre les animaux

■ Les infractions contre les personnes

- l'homicide involontaire (cas d'accident de la route)
- les coups et blessures volontaires
- l'avortement
- la maltraitance des enfants
- la séquestration de personnes
- la non-représentation d'enfants
- le proxénétisme

■ Les infractions contre la chose publique

- la fraude électorale
- le bris de scellés
- le faux en écriture

- la violence sur la personne d'un officier ministériel ou d'un fonctionnaire
- la dégradation d'un monument public
- l'usurpation de titre ou de fonction

Le casier judiciaire

Toutes les condamnations sont inscrites sur un fichier national, le casier judiciaire. Il existe trois types d'extraits :
- le bulletin n° 1 contient toutes les condamnations : il est destiné aux autorités judiciaires ;
- le bulletin n° 2 ne comporte que certaines condamnations ; il est destiné à l'Administration ;
- le bulletin n° 3 comporte les condamnations à plus de deux ans d'emprisonnement et certaines interdictions, c'est celui qui vous est envoyé.

Pour obtenir un extrait de votre casier judiciaire, il faut le demander au Casier judiciaire national, 44079 Nantes cedex 01 en joignant une fiche d'état civil.

On peut consulter le contenu intégral de son propre casier judiciaire en s'adressant au Procureur de la République de son domicile mais aucune copie n'est délivrée.

ÉTAT

VIE POLITIQUE

ADMINISTRATION

COLLECTIVITÉS LOCALES

JUSTICE

INTERNATIONAL

La cour d'assises

> Il y a une cour d'assises par département, elle juge les crimes, après un arrêt de renvoi de la chambre des mises en accusation. La cour d'assises ne siège pas en permanence, elle siège par session, souvent trimestrielle. La procédure du procès et sa préparation sont complexes.

▰▰▰ Qui juge en cour d'assises ?

Trois juges professionnels (la cour), assistés de neuf citoyens tirés au sort (le jury).

▰▰▰ Comment peut-on devenir juré ?

☐ Une liste préparatoire est établie par le maire [*p. 96*], après un tirage au sort sur la liste électorale de la commune. Mais il faut avoir plus de 23 ans, savoir lire et écrire, ne pas avoir été condamné, ni exercer une activité incompatible (policier, député, etc.).

☐ À partir des listes préparatoires, une commission établit une liste annuelle. Sur cette liste, le président du TGI de la ville où siège la cour d'assises tire au sort le jury d'assises composé de 35 jurés titulaires et de 10 suppléants, 30 jours avant le début de la session.

☐ Le préfet avertit les jurés désignés 15 jours avant l'ouverture de la session. Ces jurés sont convoqués pour le début de la session. Le juré, ainsi désigné, doit se rendre à la convocation sous peine d'amende. (Des dispenses sont accordées dans certains cas : âge, maladie, voyage, ou bien si l'on a déjà été juré.)

▰▰▰ Comment se prépare un procès aux Assises ?

La gravité des infractions jugées aux Assises, et le fait que les décisions ne pourront être remises en cause en appel, rendent la procédure du procès et de sa préparation complexe.

☐ Avant l'audience :
Le président rend visite à l'accusé. Il le prévient des charges retenues contre lui. Il l'interroge et s'assure qu'il bénéficie d'un avocat.

☐ Au début de l'audience :
Le président tire au sort les neuf jurés et leur fait prêter serment. Il fait l'appel des témoins qui se retirent pour ne paraître que lorsqu'ils seront appelés.

Cour d'assises

■ Le déroulement de l'audience

Le greffier lit l'arrêt de renvoi, c'est-à-dire l'acte d'accusation.

Le président interroge l'accusé sur son identité, son passé.

Le président entend ensuite les témoins et les experts qui jurent de « dire la vérité ».

L'avocat de la partie civile plaide.

Le ministère public (avocat général) requiert et demande une peine.

L'avocat de l'accusé plaide pour tenter de diminuer ou d'excuser la faute.

Le président lit la liste des questions auxquelles la cour et le jury devront répondre, ceux-ci se retirent pour délibérer.

■ Les délibérations

La cour et le jury se retirent pour décider si l'accusé est coupable et s'il a des circonstances atténuantes.

Les délibérations ont lieu à huis clos, elles doivent rester secrètes même après le procès.

■ La sentence

Après les délibérations, le président lit ce qui a été décidé :

- La culpabilité (8 voix contre 4 sont nécessaires).

- La peine (décidée à la majorité simple).

- Les dommages et intérêts accordés à la victime (décidés uniquement par la cour).

- La condamnation peut aller jusqu'à la réclusion à perpétuité. La peine de mort a été abolie en 1981.

ÉTAT

VIE POLITIQUE

ADMINISTRATION

COLLECTIVITÉS LOCALES

JUSTICE

INTERNATIONAL

Le tribunal pour enfants

La justice des mineurs s'intéresse à l'enfant et à l'adolescent. Elle a un double aspect. Au plan pénal, elle sanctionne et réinsère les mineurs délinquants ; elle ne peut prononcer des peines qu'à l'égard des mineurs de plus de 13 ans. Au plan civil, elle protège des mineurs en danger physique ou moral.

▬▬▬ Qui participe à la justice des mineurs ?

☐ Le juge des enfants est désigné par décret pour trois ans au sein de chaque tribunal de grande instance [*p. 118*]. Il est choisi parce qu'il s'intéresse aux jeunes.

☐ En cas de délit ou de crime, le procureur désigne un juge d'instruction [*p. 110*] qui est en général spécialiste des problèmes des jeunes.

▬▬▬ Quel est le déroulement d'une affaire ?

☐ S'il s'agit d'un délit, le juge des enfants est assisté de deux assesseurs non professionnels.

Les assesseurs sont choisis pour quatre ans par le ministre de la Justice parmi des personnes qui s'intéressent à l'enfance.

☐ S'il s'agit d'un crime, la cour d'assises [*p. 124*] des mineurs juge les mineurs de plus de 16 ans ayant commis un crime.

La démarche de la cour vise à répondre à deux interrogations : faut-il protéger ou condamner ? Faut-il, en fonction de l'âge, adoucir la peine ?

Dans les deux cas, dès lors qu'il s'agit d'un mineur, les débats ne sont pas publics, tout compte rendu de presse est interdit. La présence d'un avocat est obligatoire.

▬▬▬ Quelles mesures peuvent être prises ?

☐ Les enfants sont rarement mis en détention, ils sont placés dans un foyer d'accueil ou restent dans leur milieu familial sous le contrôle d'un éducateur. La mesure éducative est recherchée avant tout, la condamnation pénale doit rester une exception.

☐ Les mesures d'assistance éducative (art. 375 civil) concernent les mineurs dont la santé, la sécurité ou la moralité sont en danger.

☐ L'éducateur doit apporter son aide et son soutien au jeune qui lui est confié et informer le magistrat de l'évolution de la situation.

LE FONCTIONNEMENT DE LA JUSTICE PÉNALE DES MINEURS

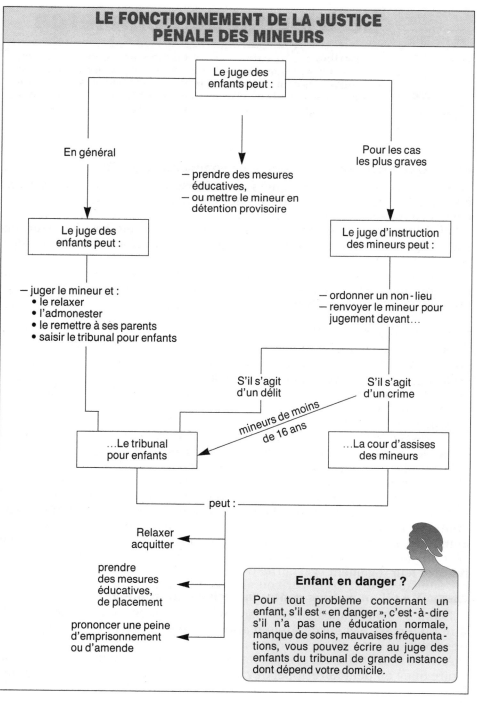

Le juge des enfants peut :

En général

Pour les cas les plus graves

- prendre des mesures éducatives,
- ou mettre le mineur en détention provisoire

Le juge des enfants peut :

Le juge d'instruction des mineurs peut :

- juger le mineur et :
  • le relaxer
  • l'admonester
  • le remettre à ses parents
  • saisir le tribunal pour enfants

- ordonner un non-lieu
- renvoyer le mineur pour jugement devant…

S'il s'agit d'un délit

S'il s'agit d'un crime

mineurs de moins de 16 ans

…Le tribunal pour enfants

…La cour d'assises des mineurs

peut :

Relaxer acquitter

prendre des mesures éducatives, de placement

prononcer une peine d'emprisonnement ou d'amende

Enfant en danger ?

Pour tout problème concernant un enfant, s'il est « en danger », c'est-à-dire s'il n'a pas une éducation normale, manque de soins, mauvaises fréquentations, vous pouvez écrire au juge des enfants du tribunal de grande instance dont dépend votre domicile.

ÉTAT

VIE POLITIQUE

ADMINISTRATION

COLLECTIVITÉS LOCALES

JUSTICE

INTERNATIONAL

Le tribunal de commerce

Les tribunaux de commerce sont uniquement compétents pour les affaires commerciales. Les juges sont des commerçants élus par d'autres commerçants. La justice est rendue plus rapidement que devant le tribunal d'instance. Certains TGI ont la compétence commerciale en l'absence de tribunal de commerce.

▬▬▬ Quelles affaires le tribunal de commerce juge-t-il ?

☐ Les litiges entre commerçants dans l'exercice de leur commerce : contestation sur la conformité d'une marchandise, sur son prix, sur le délai de livraison, par exemple.

☐ Les litiges concernant les actes de commerce par nature, contestations sur la signature d'un effet de commerce : lettre de change, billet à ordre, par exemple .

☐ Les litiges concernant les actes de commerce par accessoire, contestations sur une transaction de nature civile, vente, location-gérance engagée pour un commerce par exemple.

▬▬▬ Quelle est la procédure suivie ?

☐ La saisie du tribunal

- Le demandeur dépose au greffe une assignation qui informe l'adversaire qu'il va y avoir une action contre lui devant le tribunal.

- Les adversaires déposent au greffe une requête conjointe dans laquelle ils exposent leurs désaccords.

☐ Le procès

- Si le dossier est complet, l'affaire est jugée à l'audience la plus proche.

- Si le dossier est insuffisant, un juge rapporteur est désigné pour mettre l'affaire en état, c'est-à-dire compléter le dossier.

- Le procès commercial ressemble à un procès civil.

Il y a assignation du défendeur, puis comparution devant le tribunal, soit en étant présent, soit en se faisant représenter par une personne de son choix ou un avocat [*p. 110*]. La procédure est orale, le demandeur fait connaître ses prétentions contenues dans l'assignation, le défendeur répond par des arguments oraux ou par écrit. Après avoir écouté, les juges rendent leur jugement.

▬▬▬ Y a-t-il un recours contre la décision du tribunal ?

☐ Jusqu'à 13 000 francs, le jugement est rendu en dernier ressort, c'est-à-dire qu'il n'est pas susceptible d'appel, seul le pourvoi en cassation est possible.

☐ Au-delà de 13 000 francs, le jugement est rendu en premier ressort, c'est-à-dire que l'on peut faire appel devant la chambre civile de la cour d'appel [*p. 132*].

LES JUGES DU TRIBUNAL DE COMMERCE

Les juges, appelés juges consulaires, sont élus pour deux ans par un collège électoral élu chaque année par les commerçants.

Pour être électeur : il faut être inscrit au registre du commerce.

Pour être éligible : il faut avoir plus de 30 ans, être inscrit au registre du commerce depuis plus de 5 ans.

Le président du tribunal de commerce est élu pour trois ans

Magistrats élus tous les deux ans

Délégués consulaires

Membres et anciens membres des Tribunaux de commerce

Membres et anciens membres des Chambres de commerce et d'industrie.

Les juges consulaires sont assistés d'un greffe, mais le greffier exerce une profession libérale, ce n'est pas un fonctionnaire, mais un officier public (comme un huissier).

ÉTAT

VIE POLITIQUE

ADMINISTRATION

COLLECTIVITÉS LOCALES

JUSTICE

INTERNATIONAL

Le conseil de prud'hommes

Le conseil de prud'hommes est un tribunal spécialisé chargé de résoudre les conflits individuels, issus du contrat de travail. Il siège auprès de chaque TGI.

▬▬▬ Quelle est la compétence du conseil de prud'hommes ?

☐ Elle dépend du contenu. Le conseil de prud'hommes juge les litiges individuels nés à l'occasion du contrat de travail (droit privé) : le paiement des indemnités après la rupture du contrat, le licenciement abusif, les problèmes de délai congé, de congés payés, d'heures supplémentaires, la restitution des documents permettant de s'inscrire à l'ANPE et de bénéficier des ASSEDIC. Il juge aussi les différends nés de la non-exécution du contrat d'apprentissage.

☐ Elle dépend du territoire. Le prud'homme est celui du lieu de travail.

Si le travail est effectué en dehors de tout établissement ou à domicile, la demande est portée devant le conseil du domicile du salarié.

Le salarié peut toujours saisir le conseil du lieu où l'engagement a été contracté ou celui du lieu où l'employeur est établi.

La section (industrie, commerce, agriculture, activités diverses, encadrement) est celle qui correspond à l'activité professionnelle du demandeur. La compétence de la section est déterminée d'après le code APE (= activité principale de l'entreprise) qui figure sur le bulletin de paye.

▬▬▬ Qui juge au conseil de prud'hommes ?

☐ Les juges, appelés conseillers prud'hommes, sont élus pour cinq ans au scrutin de liste proportionnel [*p. 26*], les uns par les salariés, les autres par les employeurs. Ils siègent en nombre égal : c'est un tribunal paritaire.

- Pour être électeur il faut : avoir plus de 16 ans, exercer une activité professionnelle (avoir un contrat de travail ou d'apprentissage).

- Pour être éligible il faut : avoir plus de 21 ans, être de nationalité française, être inscrit sur les listes prud'homales.

Le conseil de prud'hommes est composé de cinq sections avec chacune huit conseillers (quatre employeurs et quatre salariés). En assemblée générale, le Conseil élit pour un an le président et le vice-président général. Les présidents et vice-présidents de section sont également élus pour un an, alternativement employeur et salarié.

▬▬▬ Quelles sont les voies de recours ?

Le taux de compétence en dernier ressort est de 18 900 F. Au-delà, l'appel est possible.

Le délai d'appel est indiqué sur la notification du jugement.

L'ORGANISATION ET LA PROCÉDURE

■ **Organisation
d'un conseil de prud'hommes**

 Salarié Employeur

| Section de l'industrie | Section du commerce | Section de l'agriculture | Section activités diverses | Section de l'encadrement |

Assemblée générale du conseil

Président général
Vice-président général
(élus pour un an, alternativement un
salarié ou un employeur)

■ **La procédure**

En cas d'urgence, le conseil décide dans un délai très court. C'est le référé prud'homal qui permet par exemple d'obtenir le paiement de salaire, les documents permettant de s'inscrire à l'ANPE et de toucher les indemnités de chômage.

Après une demande auprès du greffe du conseil, les parties sont convoquées pour une conciliation qui se déroule devant un conseiller prud'homme salarié et un conseiller prud'homme employeur et le greffier qui est un fonctionnaire. En cas d'échec, l'affaire est renvoyée devant le bureau de jugement.

L'audience de jugement a lieu devant deux conseillers salariés, deux employeurs et le greffier. Les parties doivent être présentes ou se faire représenter, par un avocat, un délégué syndical, ou en cas de motif légitime, le conjoint mais en aucun cas le concubin. S'il y a partage des voix, on fait appel au juge d'instance pour trancher : il est le juge départiteur.

ÉTAT

VIE POLITIQUE

ADMINISTRATION

COLLECTIVITÉS LOCALES

JUSTICE

INTERNATIONAL

La cour d'appel

La partie qui s'estime lésée, par le jugement rendu en premier ressort, peut porter le litige devant une juridiction supérieure, la cour d'appel, pour obtenir une décision plus favorable. L'appel n'est pas possible après un procès en Assises.

Quelles sont les conditions de l'appel ?

	DANS UN PROCÈS CIVIL	DANS UN PROCÈS PÉNAL
Après quelle décision peut-on faire appel ?	Après un jugement rendu en premier ressort (litige supérieur à 13 000 francs).	Après une condamnation à plus de 5 jours de prison, ou plus de 160 francs d'amende.
Dans quel délai ?	1 mois après le jugement. 15 jours pour le référé.	10 jours après la condamnation. 2 mois si l'appel vient du procureur.
Par qui ?	Celui qui s'estime lésé.	Accusé ou victime ou ministère public.
Quels sont les effets de l'appel ?	L'exécution du jugement est suspendue.	
L'appel est-il toujours possible ?	Non si le montant des réclamations est inférieur à 13 000 francs.	Non après un arrêt de la cour d'assises.

Quelle est la procédure ?

☐ Le déroulement du procès est identique à celui suivi devant le tribunal de grande instance [p. 118].

☐ En civil il faut un avoué qui rédige les actes et un avocat qui plaide et qui conseille.

☐ On reprend toute l'affaire. Les parties peuvent introduire de nouvelles demandes.

Quelle peut être la décision ?

☐ La décision s'appelle un arrêt d'appel. Elle peut, soit confirmer le jugement précédent, soit aggraver ou diminuer la responsabilité, la peine ou l'amende.

☐ Le jugement est rendu en dernier ressort, seul le pourvoi en cassation [p. 134] est possible.

L'ORGANISATION D'UNE COUR D'APPEL

■ L'organisation

La cour d'appel se divise en chambre civile, chambre correctionnelle et chambre sociale (appel pour les juridictions spécialisées). La chambre des mises en accusation est une chambre de la cour d'appel. En audience ordinaire, la chambre est formée par trois magistrats, elle en comporte cinq pour les affaires civiles renvoyées devant la cour d'appel par la cour de cassation. Le premier président et les magistrats de la cour d'appel sont appelés conseillers de cour d'appel.

■ Les régions judiciaires

Il y a trente cours d'appel en France, elles regroupent plusieurs départements, mais le découpage est différent de celui des régions, ce sont les régions judiciaires.

Y a-t-il d'autres recours que l'appel ?

La tierce opposition : c'est un recours peu fréquent fait par une personne qui n'était ni demandeur ni défendeur mais qui peut être concernée par la décision du juge. On recommence le procès.

L'opposition : la partie absente ou non représentée demande au tribunal qui a rendu un jugement que l'affaire soit à nouveau jugée. Il faut que l'absent ait une excuse valable et qu'il ne soit pas possible de faire appel. Le délai pour présenter l'opposition est de 1 mois pour les juridictions civiles, de 10 jours pour les juridictions pénales (il n'est pas possible de faire opposition à un arrêt de cour d'assises).

Lorsque l'opposition est acceptée par le tribunal, on reprend complètement le procès.

ÉTAT

VIE POLITIQUE

ADMINISTRATION

COLLECTIVITÉS LOCALES

JUSTICE

INTERNATIONAL

La Cour de cassation

Elle ne juge pas le fond, c'est-à-dire les arguments développés, elle juge la forme, c'est-à-dire le jugement et les arrêts d'une affaire. Saisie par une des parties d'un procès, la Cour de cassation peut casser les décisions d'un tribunal et renvoyer l'affaire devant un tribunal identique.

Quelle est l'organisation de la Cour de cassation ?

☐ Un premier président, six présidents de chambre et soixante dix-sept conseillers participent aux jugements. Ils sont assistés de conseillers référendaires qui préparent les dossiers.

☐ Un procureur général [*p. 110*], assisté d'avocats généraux, représente le ministère public.

☐ Les conseillers sont répartis en six chambres : trois chambres civiles, deux chambres civiles spécialisées (l'une commerciale, l'autre sociale), une chambre criminelle.

Quelles conditions réunir pour se pourvoir en cassation ?

☐ La Cour de cassation peut être saisie par toutes les parties d'un procès, même par le procureur général de la Cour de cassation quand il estime qu'une décision, non contestée, est contraire à la loi ou à l'intérêt général.

☐ Le délai pour présenter un pourvoi est de cinq jours pour la justice pénale (cour d'assises) et de deux mois pour la justice civile.

Quelle peut être la décision de la Cour de cassation ?

☐ Si la Cour de cassation trouve qu'il n'y a rien d'anormal dans la décision, elle rend un arrêt de rejet du pourvoi.

☐ Si elle trouve la réclamation justifiée, elle rend un arrêt qui annule le jugement et renvoie l'affaire devant une juridiction de même nature.`

Le procès en révision

☐ Si toutes les possibilités de recours sont épuisées, on peut dans des circonstances exceptionnelles demander qu'une décision soit annulée et que l'affaire soit rejugée.

☐ La révision est possible si l'on découvre de nouveaux éléments de preuve ou une fraude.

☐ Le délai est de deux mois après la découverte de l'élément nouveau. La Cour de cassation examine si la demande est fondée pour un nouveau jugement.

LA PROCÉDURE

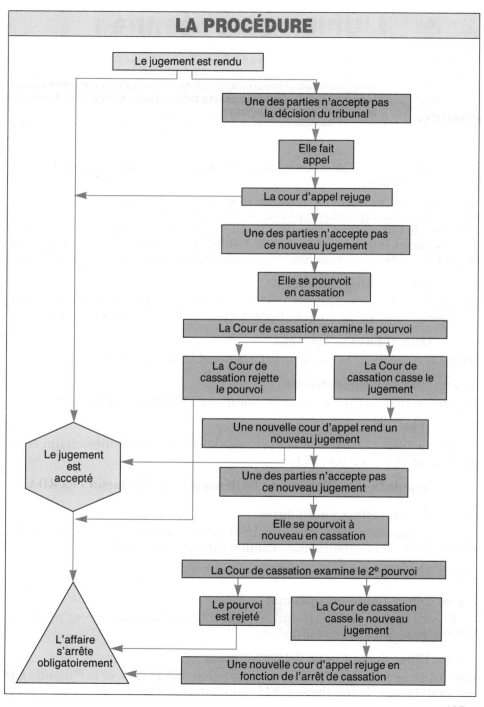

Le jugement est rendu

Une des parties n'accepte pas la décision du tribunal

Elle fait appel

La cour d'appel rejuge

Une des parties n'accepte pas ce nouveau jugement

Elle se pourvoit en cassation

La Cour de cassation examine le pourvoi

La Cour de cassation rejette le pourvoi

La Cour de cassation casse le jugement

Une nouvelle cour d'appel rend un nouveau jugement

Le jugement est accepté

Une des parties n'accepte pas ce nouveau jugement

Elle se pourvoit à nouveau en cassation

La Cour de cassation examine le 2ᵉ pourvoi

Le pourvoi est rejeté

La Cour de cassation casse le nouveau jugement

L'affaire s'arrête obligatoirement

Une nouvelle cour d'appel rejuge en fonction de l'arrêt de cassation

ÉTAT

VIE POLITIQUE

ADMINISTRATION

COLLECTIVITÉS LOCALES

JUSTICE

INTERNATIONAL

L'Union européenne : grandes dates

La Communauté économique européenne (CEE) a été créée dans les années difficiles de la guerre froide. Depuis 1993, la CEE porte le nom d'Union européenne.

1951 : La CECA ou Communauté européenne du charbon et de l'acier

Le 9 mai 1950, le ministre français des Affaires étrangères, Robert Schuman, définit les objectifs du plan qui porte son nom.

Le traité de Paris du 18 avril 1951 donne naissance à la CECA. La Belgique, la République fédérale d'Allemagne, l'Italie, le Luxembourg, la France et les Pays-Bas mettent en commun les ressources de base : le charbon et l'acier.

1957 : l'Europe des six

Le traité de Rome du 27 mars 1957 institue la CEE et la Communauté européenne de l'énergie atomique (Euratom). L'Europe des six est créée.

1973 : l'Europe des neuf

En 1973, se joignent le Danemark, l'Irlande et le Royaume-Uni.

1981 : l'Europe des dix

En janvier 1981, la Communauté s'élargit avec l'adhésion de la Grèce.

1986 : l'Europe des douze

Le 12 juin 1985, l'Espagne et le Portugal signent l'acte d'adhésion qui entre en vigueur le 1er janvier 1986.

Depuis la réunification de l'Allemagne, la CEE inclut l'ex-RDA

De nouvelles candidatures

1987 : candidature de la Turquie ; 1989 : candidature de l'Autriche ; 1991 : candidature de la Suède ; 1992 : candidature de la Finlande.

1992 : traité de Maastricht

1993 : Union européenne

Le 1er novembre, la CEE prend le nom d'Union européenne et regroupe 340 millions de citoyens européens.

1994 : accord pour l'élargissement

Les douze se mettent d'accord avec la Suède, l'Autriche et la Finlande sur les modalités de leur adhésion à l'Union européenne en 1995.

L'EUROPE DES DOUZE

	Capitale	Superficie (en milliers de km^2)	Habitants (en millions)	Densité (hab./km^2)
Belgique	Bruxelles	30	10	333
Danemark	Copenhague	43	5,1	118
Espagne	Madrid	505	39	77
France	Paris	551	57	103
Grèce	Athènes	132	10	75
Irlande	Dublin	70	3,5	50
Italie	Rome	301	57	189
Luxembourg	Luxembourg	2,5	0,39	156
Pays-Bas	Amsterdam	42	15	357
Portugal	Lisbonne	92	10,5	114
République Fédérale d'Allemagne	Berlin	357	79	221
Royaume-Uni	Londres	244	55,5	227

Les 6 fondateurs de la C.E.E. (1957)

3 nouveaux partenaires

1 nouveau membre (1981)

2 adhésions nouvelles (1986)

Depuis la réunification de l'Allemagne

500 km

ÉTAT

VIE POLITIQUE

ADMINISTRATION

COLLECTIVITÉS LOCALES

JUSTICE

INTERNATIONAL

Les interventions de l'Union européenne

L'idée du traité de Rome est d'associer les économies des États de la CEE dans un vaste marché commun, capable de se mesurer avec les ensembles économiques américain et soviétique.

Les principales dispositions du traité de Rome

□ L'élimination, entre les États membres, des droits de douane. Ce fut chose faite en 1977.

□ L'établissement d'un tarif douanier commun entre chaque pays de la CEE et les États qui ne font pas partie de la CEE.

□ La libre circulation des personnes, des services et des capitaux.

Des secteurs d'intervention

La Communauté économique européenne a mis en place des politiques visant à :

- garantir la concurrence entre les entreprises. Une entreprise ne doit pas bénéficier d'une aide gouvernementale qui lui permettrait de vendre moins cher alors que les entreprises concurrentes ne bénéficieraient pas des mêmes avantages ;

- favoriser l'amélioration des conditions de vie et d'emploi ;

- soutenir les régions en difficulté ;

- unifier les droits sociaux dans les différents États ;

- garantir l'égalité des chances entre hommes et femmes ;

- protéger l'environnement.

Les finances

□ L'Union européenne dispose de ressources financières :

- un pourcentage sur les TVA [*p. 63*]nationales ;

- les droits de douane et les prélèvements sur les marchandises importées des pays non membres de l'Union.

□ Le budget de l'Union sert à financer la politique agricole, la politique régionale et la politique sociale.

□ Le fonds européen de développement ou Feder créé en 1974 vise à corriger les déséquilibres régionaux à l'intérieur de l'Union européenne en complétant, par une aide, les actions nationales.

□ Le fonds social européen ou FSE créé en 1958 vise à promouvoir la mobilité des travailleurs au sein de l'Union.

LES FORCES ET LES FAIBLESSES DE L'UNION

■ Le système monétaire européen

Créé en mars 1979, le système monétaire européen ou SME possède une unité monétaire : l'écu. L'écu a été adopté afin d'éviter toute fluctuation incontrôlée des taux de change.

■ L'Europe verte

C'est en janvier 1962 que naît une politique agricole commune. Les principes de cette « Europe agricole » sont :
- l'unité de marché, c'est-à-dire la libre circulation des produits agricoles et alimentaires et l'harmonisation des normes de qualité ;
- la préférence communautaire qui protège les producteurs européens contre les importations à bas prix provenant du reste du monde ;
- le système des prix communs : les prix communs des produits agricoles sont fixés en écus mais, pour compenser l'effet des variations de change des monnaies nationales sur les prix communs, des « montants compensatoires monétaires » (les CMC) ont été établis.
La solidarité financière existe avec le Fonds européen d'orientation et de garantie agricole (FEOGA) qui assure le financement de la politique agricole commune.

■ L'Europe bleue

Une politique commune de pêche existe depuis le 25 janvier 1983.
Dans la zone des 200 milles (soit 370 km) autour des côtes des pays membres de la CEE, un règlement unique s'applique à tous les pêcheurs.

Il prévoit la juste répartition des quotas de pêche entre États et la liberté d'accès aux eaux communautaires de tous les pêcheurs européens.

■ Vers une « Europe politique » ?

Lors de l'accord signé en décembre 1985, les États de la CEE ont affirmé leur volonté de « formuler et mettre en œuvre, en commun, une politique étrangère européenne ». À compter de 1993, l'Union européenne possède une identité diplomatique et de défense.

L'Union européenne

1986	Signature de l'Acte unique européen entré en vigueur le 1er juillet 1987
1989	Le 9 novembre 1989 : ouverture du mur de Berlin
1990	Signature des accords de Schengen Unification de l'Allemagne (3 octobre 1990)
1992	Signature du traité sur l'Union européenne à Maastricht
1993	- À compter du 1er janvier 1993, les formalités fiscales et financières entre les membres sont supprimées. - À compter du 1er novembre 1993, la CEE s'appelle Union européenne et le traité de Maastricht entre en application.
1997 ou 1999	Les États membres doivent adopter l'écu.

ÉTAT

VIE POLITIQUE

ADMINISTRATION

COLLECTIVITÉS LOCALES

JUSTICE

INTERNATIONAL

Les institutions de l'Union européenne

> **Les douze États sont indépendants politiquement ; pourtant ils prennent un certain nombre de décisions applicables dans chaque État membre.**

▬▬▬ Le Conseil des ministres

☐ Le Conseil est composé de douze ministres (un par gouvernement) mais sa composition varie selon le sujet traité. Suivant les cas il réunit les ministres des Finances, les ministres de l'Agriculture...

☐ Il se réunit à Bruxelles.

☐ Il prend des décisions et adopte les lois communautaires.

☐ Les impulsions majeures du Conseil des ministres sont données par la réunion périodique des chefs d'État et de gouvernement désignée sous le nom de Conseil européen (né en 1974).

▬▬▬ La Commission européenne

☐ Elle comprend dix-sept membres, au moins un par État, nommés pour cinq ans, d'un commun accord, par tous les États membres. Ils doivent agir en toute indépendance.

☐ La Commission européenne siège à Bruxelles.

☐ Elle propose les « lois communautaires », veille au respect des traités.

☐ Elle cherche à concilier les points de vue des États membres et joue un rôle important dans les négociations.

☐ Elle est aussi l'exécutif de la communauté.

Elle est responsable devant le Parlement.

▬▬▬ Le Parlement européen

☐ Avec l'entrée de l'Espagne et du Portugal, le nombre des parlementaires européens est porté à 518 députés. Ils sont élus, depuis 1979, tous les cinq ans, au suffrage universel [p. 20], par les citoyens de la communauté.

☐ Il tient ses sessions plénières à Strasbourg. Son secrétariat général est installé à Luxembourg.

☐ Il contrôle l'action de la Commission, qu'il peut censurer, et veille à l'intérêt communautaire. Il donne son avis sur les propositions de la Commission avant que le Conseil des ministres ne prenne sa décision.

C'est lui qui, en dernier ressort, arrête le budget de l'Union adopté par le Conseil. Son rôle législatif est renforcé.

LES AUTRES INSTITUTIONS

■ La Cour de justice

Elle comprend treize juges et six avo-cats généraux.
Elle siège à Luxembourg.
Elle assure le respect du droit dans l'exécution des traités et tranche les conflits qui pourraient naître à l'occa-sion de ce droit.

■ Le Comité économique et social

Il est formé de 189 représentants des différentes catégories intéressées de la vie économique et sociale (syndi-cats, patronat, consommateurs...).
Il siège à Bruxelles.
Il est consulté avant l'adoption de nombreuses décisions.

■ La Cour des comptes

Elle est formée d'un représentant de chaque État.
Elle siège à Luxembourg.
Elle contrôle la gestion des finances communautaires.

■ L'Institut monétaire européen (IME)

Il se trouve à Francfort.
Il préfigure la Banque centrale euro-péenne chargée de gérer la monnaie unique à la fin du siècle.

Pour en savoir plus :

Centre d'information sur l'Europe (CIE)
Le socle de la Grande Arche
92054 PARIS La Défense Cedex 61

ÉTAT

VIE POLITIQUE

ADMINISTRATION

COLLECTIVITÉS LOCALES

JUSTICE

INTERNATIONAL

L'ONU :
origine et principes

L'Organisation des Nations Unies, désignée plus souvent sous le sigle de ONU, est née en 1945. Elle a succédé à la Société des Nations ou SDN.

L'origine de l'ONU

☐ L'expression « Nations Unies » est du président Franklin-D. Roosevelt. Dès août 1941, Winston Churchill et Franklin Roosevelt, dans la « Charte de l'Atlantique », annoncent au monde leur volonté de créer à la fin de la guerre une organisation capable de préserver la paix.

En janvier 1942, les représentants des gouvernements de 26 nations signent « La Déclaration des Nations Unies » dans laquelle ils s'engagent à poursuivre ensemble la guerre contre les puissances de l'Axe.

Les conférences de Moscou (novembre 1943), Téhéran (janvier 1944), Dumbarton Oaks (août-octobre 1944) et Yalta (février 1945) étudient les principes d'une vaste organisation internationale destinée à maintenir la paix et la sécurité.

☐ La Charte des Nations Unies a été signée le 26 juin 1945, à San Francisco, par les représentants de 50 nations. (La Pologne, qui n'avait pas été représentée à la Conférence, a signé la Charte plus tard mais est néanmoins considérée comme l'un des 51 membres originaires.)

☐ L'Organisation des Nations Unies a officiellement commencé d'exister le 24 octobre 1945, la Charte ayant été ratifiée par la Chine, les États-Unis, la France, le Royaume-Uni et l'URSS et par la majorité des autres pays signataires.

Le rôle et les principes de l'ONU

☐ Les buts de l'ONU sont les suivants :
- maintenir la paix et la sécurité internationales,
- développer entre les nations des relations amicales,
- réaliser la coopération internationale en résolvant les problèmes internationaux d'ordre économique, social, culturel ou humanitaire et en développant le respect des droits de l'homme [p. 8] et des libertés fondamentales.
- être un centre où s'harmonisent les efforts des nations vers ces fins communes.

☐ L'Organisation des Nations Unies est fondée sur le principe de l'égalité et de la souveraineté de ses membres. Les États membres doivent régler leurs différends de manière pacifique.

L'ONU ne peut intervenir dans les affaires intérieures d'un État.

LE FONCTIONNEMENT DE L'ONU

■ Les membres et leur rôle

Les États qui désirent devenir membres de l'ONU doivent accepter les principes de la Charte. Ils sont admis par décision de l'Assemblée générale sur recommandation du Conseil de sécurité de l'ONU.

Les États membres peuvent être suspendus ou exclus par l'Assemblée générale sur recommandation du Conseil de sécurité.

Chaque membre dispose d'une voix.

Les langues officielles sont : l'anglais, l'arabe, le chinois, l'espagnol, le français, le russe.

Les langues de travail sont l'anglais et le français.

Le budget de l'ONU repose sur la participation des États membres. Cette participation est fixée par un comité des contributions en fonction de la population et du PIB des membres.

■ Les casques bleus

Le terme de casque bleu apparaît en 1956, quand l'Assemblée générale de l'ONU envoie une force d'urgence des Nations Unies pour surveiller le cessez-le-feu après l'expédition franco-anglaise de Suez. Les différents types d'opérations des casques bleus :
- des groupes d'observateurs
- des opérations pour rétablir l'ordre
- des missions de bons offices
- des groupes d'assistance
- des observateurs militaires
- des forces chargées du maintien de la paix
- des missions de vérification (pour surveiller des élections)
- des forces de protection (Forpronu) pour assurer le cessez-le-feu et l'acheminement de l'aide humanitaire.

ÉTAT

VIE POLITIQUE

ADMINISTRATION

COLLECTIVITÉS LOCALES

JUSTICE

INTERNATIONAL

Les organes de l'ONU

Depuis l'adoption de la Charte des Nations Unies à San Francisco en 1945, le monde a connu des mutations profondes : armement atomique, processus de décolonisation, effondrement du bloc communiste. Au centre de cette mutation, du jeu des tendances contradictoires, se trouve l'Organisation des Nations Unies.

▬▬▬ L'Assemblée générale

□ Elle est composée des représentants de tous les pays membres de l'ONU. À sa première réunion à Londres en 1946, l'Assemblée générale comptait 51 membres, elle en compte actuellement 184. Grand ou petit, riche ou pauvre, un pays dispose d'une seule voix.

□ Elle siège habituellement à New York.

L'Assemblée générale, qui tient une session ordinaire annuelle, est la seule instance mondiale où sont examinés les grands problèmes internationaux (course aux armements, croissance démographique, environnement, développement économique, condition des enfants, des femmes...).

□ Elle élit, sur proposition du Conseil de sécurité, le Secrétaire général de l'ONU, les membres non permanents des différents organes, les juges de la Cour internationale, vote l'admission des nouveaux membres et arrête le budget de l'Organisation.

▬▬▬ Le Conseil de sécurité

□ Le Conseil se compose de quinze membres. Cinq d'entre eux sont membres permanents : la Chine, les États-Unis, la France, le Royaume-Uni, la Fédération de Russie. Les dix autres membres sont élus par l'Assemblée générale pour deux ans.

□ Le Conseil de sécurité est chargé du maintien de la paix et de la sécurité internationales. Tandis que les autres organes de l'ONU adressent aux gouvernements des recommandations, le Conseil est le seul à pouvoir prendre des décisions ayant force obligatoire et à les faire appliquer par des voies allant de la négociation aux sanctions économiques et à la force armée d'observation (« les casques bleus »). Mais les décisions doivent être prises sur un vote affirmatif de neuf membres dans lequel doivent figurer les votes affirmatifs des cinq membres permanents. C'est la règle de l'unanimité des grandes puissances que l'on appelle le « veto ». L'utilisation par l'un des cinq membres permanents de son droit de veto (vote négatif) bloque les débats et empêche la décision.

LES AUTRES ORGANES DE L'ONU

■ Le Conseil économique et social

Composé de 54 membres, il se réunit une fois par an.

Il reçoit mandat de l'Assemblée générale pour coordonner les activités de l'ONU dans le domaine économique et social auquel vont plus de 80 % des ressources de l'ONU. De nombreuses institutions spécialisées lui sont rattachées (UNESCO, FAO, OMS, OIT...).

■ Le Conseil de tutelle

Il est composé des cinq membres permanents du Conseil de sécurité.

Chargé de superviser l'administration des territoires sous tutelle, il a de moins en moins de questions à examiner car il ne reste qu'un territoire sous tutelle : La République des Palaos, administrée par les États-Unis.

■ La Cour internationale de justice

La Cour internationale de justice, dont le siège est à La Haye, est composée de quinze juges élus conjointement par l'Assemblée générale et le Conseil de sécurité.

Elle juge les différends que peuvent lui soumettre les États. Elle rend des arrêts clarifiant des questions juridiques internationales. Elle rend aussi des avis consultatifs.

■ Le Secrétariat

Doté d'un personnel recruté dans le monde entier, le Secrétariat est dirigé par un Secrétaire général qui applique les directives des autres organes de l'ONU et sert de porte-parole à l'organisation. Il est élu pour cinq ans par l'Assemblée générale, sur recommandation du Conseil de sécurité, il est rééligible.

Cour Internationale de Justice

Les secrétaires généraux de l'ONU depuis 1946

Trygve Lie (Norvégien) 1946-52
Dag Hammarskjöld (Suédois) 1953-61
U Thant (Birman) 1961-71
Kurt Waldheim (Autrichien) 1972-81
Javier Perez de Cuellar (Péruvien) 1982-91
Boutros Boutros-Ghali (Égyptien) 1992

ÉTAT

VIE POLITIQUE

ADMINISTRATION

COLLECTIVITÉS LOCALES

JUSTICE

INTERNATIONAL

ONU : organes spécialisés

L'ONU intervient pour aider les pays en voie de développement. Son aide revêt différents aspects : enseignement, encadrement, aide financière, programme alimentaire… Ces réalisations sont l'œuvre des institutions spécialisées rattachées pour la plupart au Conseil économique et social de l'ONU.

▬▬▬ L'OMS ou Organisation mondiale de la santé
☐ Son siège est à Genève.
☐ Son but est d'amener tous les peuples du monde au niveau de santé le plus élevé.

▬▬▬ La FAO ou Organisation pour l'alimentation et l'agriculture
☐ Son siège est à Rome.
☐ Son but est d'améliorer le développement agricole des pays en voie de développement en leur apportant une aide technique.

▬▬▬ L'UNESCO ou Organisation pour l'éducation, la science et la culture
☐ Son siège est à Paris.
☐ Son but est de contribuer à la paix en développant la collaboration des nations dans les domaines de l'alphabétisation, de la protection du patrimoine culturel, des droits de l'homme.

▬▬▬ L'OIT ou Organisation internationale du travail
☐ Son siège est à Genève.
☐ Son but est l'élaboration d'un droit international du travail et d'un programme d'amélioration des conditions de travail.

▬▬▬ Le FMI ou Fonds monétaire international
☐ Son siège est à Washington.
☐ Son rôle est de faciliter le bon fonctionnement des mécanismes monétaires entre les pays pour éviter une crise monétaire internationale.

▬▬▬ La BIRD ou Banque internationale pour la reconstruction et le développement
☐ Son siège est à Washington.
☐ Son but est de financer, dans les pays les moins favorisés, des projets de développement par des prêts.

▬▬▬ Le GATT ou Accord général sur les tarifs douaniers et le commerce
☐ Son siège est à Genève.
☐ Son but est de permettre aux États membres de négocier leurs échange.

LE SYSTÈME DES NATIONS UNIES

COUR INTERNATIONALE DE JUSTICE	ASSEMBLÉE GÉNÉRALE	CONSEIL ÉCONOMIQUE ET SOCIAL	CONSEIL DE SÉCURITÉ	SECRÉTARIAT	CONSEIL DE TUTELLE

① • Grandes commissions et autres comités de session
• Comités permanents et organes ad hoc
• Autres organes subsidiaires et organes apparentés

② ▪ **AIEA**
Agence internationale de l'énergie atomique

③ ▹ **CNUCED**
Conférence des Nations Unies sur le commerce et le développement
▹ **CNUEH**
Centre des Nations Unies pour les établissements humains (Habitat)
▹ **FISE**
Fonds des Nations Unies pour l'enfance
▹ **FNUAP**
Fonds des Nations Unies pour la population
▹ **HCR**
Haut Commissariat des Nations Unies pour les réfugiés
▹ **INSTRAW**
Institut international de recherche et de formation pour la promotion de la femme
▹ **PNUCID**
Programme des Nations Unies pour le contrôle international des drogues
▹ **PNUD**
Programme des Nations Unies pour le développement
▹ **PNUE**
Programme des Nations Unies pour l'environnement
▹ **UNITAR**
Institut des Nations Unies pour la formation et la recherche
▹ **UNU**
Université des Nations Unies
▹ **WFC**
Conseil mondial de l'alimentation
▹ **UNIFEM**
Fonds de développement des Nations Unies pour la femme

④ ▹ Centre du commerce international CNUCED/GATT
▹ **PAM**
Programme alimentaire mondial

⑤ • **COMMISSIONS TECHNIQUES**
• **COMMISSIONS RÉGIONALES**
• **COMITÉS DE SESSION ET COMITÉS PERMANENTS**
• **ORGANES D'EXPERTS, ORGANES AD HOC ET ORGANES APPARENTÉS**

⑥ ▪ **OIT**
Organisation internationale du Travail
▪ **FAO**
Organisation des Nations Unies pour l'alimentation et l'agriculture
▪ **UNESCO**
Organisation des Nations Unies pour l'éducation, la science et la culture
▪ **OMS**
Organisation mondiale de la santé
▪ **Groupe de la Banque mondiale**
▪ **FMI**
Fonds monétaire international
▪ **OACI**
Organisation de l'aviation civile internationale
▪ **UPU**
Union postale universelle
▪ **UIT**
Union internationale des télécommunications
▪ **OMM**
Organisation météorologique mondiale
▪ **OMI**
Organisation maritime internationale
▪ **OMPI**
Organisation mondiale de la propriété intellectuelle
▪ **FIDA**
Fonds international de développement agricole
▪ **ONUDI**
Organisation des Nations Unies pour le développement industriel
▪ **GATT**
Accord général sur les tarifs douaniers et le commerce

⑦ • Comité d'état-major
• Comités permanents et organes ad hoc

⑧ Opérations de maintien de la paix

> ▹ Programmes et organismes des Nations Unies (la liste a uniquement une valeur indicative)
> ▪ Institutions spécialisées et autres organisations autonomes faisant partie du système
> • Autres commissions, comités et organes

ÉTAT

VIE POLITIQUE

ADMINISTRATION

COLLECTIVITÉS LOCALES

JUSTICE

INTERNATIONAL

L'OTAN

L'Organisation du traité de l'Atlantique Nord est née après la Seconde Guerre mondiale et crée une alliance militaire entre seize États. Le rôle principal des forces armées de l'OTAN est de garantir la sécurité et l'intégrité territoriale des États membres.

La création de l'OTAN

☐ Le traité de l'Atlantique Nord ou « pacte atlantique » fut signé le 4 avril 1949 à Washington entre la Belgique, le Canada, le Danemark, les États-Unis, la France, l'Islande, l'Italie, le Luxembourg, la Norvège, les Pays-Bas, le Portugal et le Royaume-Uni. La Grèce et la Turquie adhèrent en 1952, l'Allemagne fédérale en 1955 et l'Espagne en 1982.

☐ La France reste membre de l'alliance politique mais ne participe plus au système de défense depuis 1966.

Le but de l'OTAN

☐ Le traité de l'Atlantique Nord est un traité d'alliance contre toute attaque armée du territoire de l'un des États signataires en Europe ou en Amérique du Nord.

☐ Cette organisation était née de la volonté des Américains de contenir la poussée du communisme en Europe et de la crainte des Européens de ne pouvoir seuls résister à cette pression. Mais les défis et les risques auxquels l'OTAN est confrontée dans le domaine de la sécurité ne sont pas les mêmes que par le passé.

L'organisation de l'OTAN

☐ Le Conseil de l'Atlantique Nord est composé des représentants des seize gouvernements. Il se réunit deux fois par an. Il reçoit les avis du comité militaire composé des représentants des états-majors.

☐ Depuis la fin de la division idéologique et militaire entre l'Est et l'Ouest, les pays membres de l'OTAN s'attachent à relever les nouveaux défis que pose la sécurité à la zone euro-atlantique. La Russie a adhéré à un programme de coopération militaire Est-Ouest qui peut ouvrir à terme la porte de l'OTAN à certains pays de l'Est (Pologne, Hongrie par exemple...).

☐ L'OTAN dispose de forces de moyenne portée ayant un rôle de dissuasion et des forces nucléaires tactiques destinées à détruire des forces militaires sur les champs de bataille.

La structure militaire de l'OTAN

☐ La zone stratégique couverte par le traité de l'Atlantique Nord est divisée entre deux hauts commandements de l'OTAN (Europe et Atlantique) et un groupe de planification stratégique régionale (Canada et États-Unis).

L'ÉTAT-MAJOR DE L'OTAN

Structure militaire de l'Otan

**Comité militaire
CM**

État-major international
EMI

Bruxelles   *Belgique*

Commandant
suprême
des forces alliées
en Europe
(SACEUR)
Shape
Casteau   Belgique

Commandant
suprême allié
de l'Atlantique
(SACLANT)

Norfolk   États-Unis

Commandant
en chef
allié de la Manche
(CINCHAN)

Northwood   Royaume-Uni

Groupe de
planification régional
Canada États-Unis
(CUSRPG)

Arlington   États-Unis

État-major international de l'Otan

Directeur EMI

Centre de
situation

Secrétariat

Information
du public

Finances

Division
du
renseigne-
ment

Division
plans et
doctrine

Division
des
opérations

Division
logistique
et
ressources

Division des
télécommu-
nications
et des
systèmes
d'information

Division
armements
et
standardi-
sation

Les principales bases de l'OTAN se situent en Grande-Bretagne, Islande, Groenland, Italie, Espagne, Turquie, Chypre, Maroc.

Comment obtenir rapidement des informations ?

Plusieurs services de renseignements sur les administrations sont accessibles par Minitel ou par téléphone. Voici quelques codes de services par Minitel :

3615 CNIL

Commission nationale
de l'informatique et des libertés
Textes
Membres et services
Missions de la CNIL
Vos droits

3615 POLICEINFO

Mais que fait la police ?
Vos papiers s'il vous plaît !
Faites votre déclaration
La police vous aide
Policiers, à votre service

3615 COLOG

Ministère de l'Intérieur
Direction générale des Collectivités Locales
Actualités
Recherche par domaine
Recherche par mot clé
Finances locales
Dossier du mois

3615 VOSDROITS

Assurances
Étrangers
Justice
Retraite
Travail, emploi
Vos droits et l'Administration

3615 EDUTEL

Ministère de l'Éducation
Infos sur le système scolaire
École, collège, lycée, supérieur
Orientation,
Vie pratique,
Sport

3616 FONCTIONNAIRE

Emplois
Concours
Statuts
Formation

3615 FINANCES

Infos du ministère de l'Économie,
des Finances et du Budget
Impôts sur le revenu, impôts locaux
Actualisez pensions et loyers
Consommation
Indices prix
Dépliants

3616 JOEL

Journal officiel, version télématique
Lois et décrets
Texte intégral du *J.O.* du jour
Catalogues des éditions
Ouvrages du *Journal officiel*

DES INFORMATIONS ACCESSIBLES RAPIDEMENT

■ Par téléphone

Chaque jour, du lundi au vendredi, les centres interministériels de renseignements administratifs renseignent, gratuitement, le public, par téléphone, dans les domaines suivants :
affaires sociales et santé, concurrence et consommation, douanes, éducation nationale, emploi et formation professionnelle, équipement, fiscalité, fonction publique, intérieur et collectivités locales, justice, Sécurité sociale, travail, trésor, urbanisme et logement.
Les CIRA sont implantés dans neuf régions :

Centre interministériel
de renseignements administratifs
(CIRA)

Bordeaux (Aquitaine)	56 29 18 18
Lille (Nord-Pas de Calais)	20 49 49 49
Limoges (Limousin)	55 04 56 56
Lyon (Rhône-Alpes)	78 63 10 10
Marseille (Provence-Côte d'Azur)	91 26 25 25
Metz (Lorraine)	87 31 91 91
Paris (Ile-de-France)	(1) 40 01 11 01
Rennes (Bretagne)	99 30 15 15
Toulouse (Midi-Pyrénées)	62 15 15 15

Quelques démarches de la vie courante

Démarches	Où en faire la demande ? Coût	Durée de validité	Délai / Observations
Carte d'identité	Mairie Timbre fiscal	10 ans	Fournir le livret de famille 8 à 20 jours. Si vous être mineur, autorisation des parents
Passeport	Mairie-Préfecture Sous-préfecture Timbre fiscal	5 ans	10 jours à 3 semaines. À retirer soi-même.
Permis de conduire	Par l'intermédiaire d'une auto-école ou en candidat libre à la préfecture ou sous-préfecture du domicile Taxes	–	2 à 6 semaines après la réussite. En cas de changement matrimonial (mariage, divorce) l'obtention d'un nouveau formulaire est gratuite.
Carte grise	Préfecture, sous-préfecture du domicile (à Paris, mairie du domicile) Taxe régionale	–	Tout de suite à 48 h. En cas de changement de domicile, l'obtention d'une nouvelle carte est gratuite.
Extrait d'un acte de l'état civil : naissance - mariage-décès	À la mairie où l'acte a été fait Gratuit	3 mois	48 h à 8 jours. Pour une demande écrite, joindre une enveloppe timbrée pour la réponse.
Certificat de nationalité	Greffe du tribunal d'instance du lieu du domicile		8 jours. Livret de famille ou acte de naissance.
Fiche d'état civil : Fiche individuelle ou familiale	Mairie Gratuit	3 mois	Immédiat. Sur présentation du livret de famille.
Attestion de domicile	Par une déclaration sur l'honneur	–	Mais il est souvent exigé la présentation d'une quittance (loyer, EDF).

Démarches	Où en faire la demande ? Coût	Durée de validité	Délai / Observations
Extrait de casier judiciaire	Casier judiciaire national 107, rue de Landreau 44079 Nantes Cedex Gratuit	3 mois	1 à 3 semaines. Joindre une fiche individuelle d'état-civil plus une enveloppe timbrée à votre adresse.
Carte d'électeur	Mairie du domicile Gratuit	–	S'inscrire sur les listes électorales avant le 31 décembre précédant les élections. Pour être électeur : – être de nationalité française ; – avoir 18 ans ; – jouir de ses droits civils et politiques.
Copie certifiée conforme	Mairie ou commissariat ou gendarmerie Gratuit	–	De suite ou 24 h. Présenter l'original et la photocopie.
Permis de chasser	Mairie ou préfecture Payant	–	Permis antérieur, attestation d'assurance.
Permis de pêche	Association de pêche (le plus souvent chez un marchand d'articles de pêche) Payant	1 an	Aucun. La taxe varie en fonction de de la catégorie des rivières.
Livret de famille duplicata	Mairie du lieu de mariage	–	Indéterminé. Imprimé à retirer en mairie.
Autorisation de sortie du territoire	Mairie du domicile	–	De suite. Présenter la carte d'identité du mineur et le livret de famille.
Extrait actes naissance- mariage- décès à l'étranger	Service central de l'état civil BP 1056 44035 NANTES CEDEX		
Certificat d'hérédité	mairie domicile du défunt ou des héritiers		De suite. Livret de famille du défunt.

Quels papiers conserver ?

Quels papiers ?	Combien de temps ?	À quoi servent ils ?
Votre état civil Le livret de famille	Indéfiniment	Remis aux époux le jour du mariage, il permet dans n'importe quelle mairie la délivrance immédiate des fiches d'état civil.
Vos études Les diplômes	Indéfiniment	Ils attestent de votre qualification professionnelle, de votre niveau d'études. Ne jamais donner l'original !
Votre travail Bulletins de paie	Indéfiniment	Ils permettent de faire valoir vos droits à la retraite et de calculer le montant de votre pension.
Certificats de travail	Indéfiniment	Ils vous permettent d'attester de votre qualification professionnelle et des fonctions que vous avez occupées.
Votre santé Dossiers médicaux importants	Indéfiniment	Ils permettent de connaître l'état des maladies infectieuses ou chroniques, les opérations chirurgicales subies.
Avis d'arrêt de travail ; certificat de grossesse	30 ans	La Sécurité sociale dispose de ce délai pour réclamer des sommes injustement versées.
Votre logement Bail et quittances de loyer	5 ans	Le propriétaire dispose de ce délai pour réclamer des sommes dues : charges locatives…
État des lieux	Durant le temps de location	Il est nécessaire pour vous faire rembourser votre caution.
Factures EDF-GDF	5 ans	Cela vous permet de contester une facture anormalement élevée en montrant quelle est votre consommation habituelle.
Factures d'eau	2 ans	
Factures de téléphone	1 an	
Les devis de réparation et de travaux	Jusqu'au paiement de la facture	Ils garantissent le prix à payer. L'entrepreneur doit respecter le devis qu'il a établi.

Quels papiers ?	Combien de temps ?	À quoi servent-ils ?
Votre automobile La facture d'achat	Jusqu'à la revente et au moins 2 ans	Article du Code civil.
Le carnet d'entretien	Jusqu'à la revente	Cela vous permettra en cas de vice caché de prouver que votre voiture a été entretenue conformément aux indications du constructeur.
Les factures de réparation	Jusqu'à la revente	Vous pourrez justifier auprès de l'acheteur des soins avec lesquels vous avez entretenu votre voiture.
Vos assurances Les bons de garantie	Durant le temps de la garantie	C'est le bon daté, remis par le distributeur, qui vous permet de faire jouer la garantie.
Le contrat d'assurance	Jusqu'à sa résiliation	Il vous permet de connaître avec précision les risques pour lesquels vous êtes couverts et vos obligations envers votre assureur.
Les quittances des primes	2 ans	Article L 114-1 du Code des assurances.
L'avis de remboursement d'un sinistre	30 ans	C'est le temps que vous avez pour engager une action contre le responsable de ce sinistre ou son assureur.
Votre compte bancaire ou CCP Talons et relevés bancaires	30 ans	Ils serviront de preuve en cas de litige sur un paiement. Les banques ne gardent les relevés de compte que 10 ans.
Bordereaux de versement, ordres de virement	Jusqu'à ce que vous en trouviez trace sur un relevé	Jusqu'au relevé, ils sont la seule preuve des opérations bancaires que vous avez effectuées.
Chèque bancaire Chèque postal	Moins de 3 ans moins d'un an	Passé ce délai, vous ne pourrez plus les encaisser.
Vos impôts et taxes Redevance télévision	3 ans	Décret du 17 mars 1968.
Déclarations de revenus et justificatifs, avis d'imposition	4 ans	Article 1966 du Code des impôts. Le fisc peut vous demander des arriérés d'impôt sur cette période s'il s'aperçoit d'une erreur ou d'une fraude.

Passer un contrat

	Vous passez un contrat...	Qui entraîne droit et obligations
Vous vous mariez	CONTRAT DE MARIAGE, signé par les époux devant un notaire avant le mariage civil	Gestion des biens et propriétés de chacun des époux, répartition en cas de dissolution du mariage.
Vous louez un logement	CONTRAT DE BAIL, signé par le propriétaire et le locataire	Le propriétaire offre la jouissance du logement. Le locataire paye un loyer et entretient le logement.
Vous vous assurez	POLICE D'ASSURANCE entre l'assureur et l'assuré	La compagnie d'assurances assure un dédommagement en cas de sinistre. L'assuré paye une prime (ou cotisation en matière sociale).
Vous faites ouvrir les compteurs. Vous demandez le téléphone	CONTRAT entre EDF-GDF et l'usager CONTRAT entre les Telecom et l'abonné	EDF-GDF fournissent l'électricité ou le gaz. L'usager paye les consommations et l'abonnement.
Vous faites l'achat d'une marchandise	Par ACCORD ORAL sur la marchandise et sur le prix ou par un bon de commande	Le vendeur fournit la marchandise, assure la garantie et éventuellement la livraison à domicile. Le client paye.
Vous demandez un crédit	CONTRAT de CRÉDIT passé entre vous, le vendeur et la société de crédit	Le vendeur fournit la marchandise. La société de crédit paye le vendeur. Le client rembourse le prix de la marchandise et les intérêts.
Vous faites réparer, entretenir	CONTRAT de GARANTIE avec le vendeur, ou CONTRAT d'ENTRETIEN avec une société	Le vendeur, l'artisan, la société d'entretien exécutent certains travaux. Le client paye.
Vous voyagez	CONTRAT avec la SNCF ou une compagnie de transports, matérialisé par le TITRE de TRANSPORT	La SNCF assure le transport des voyageurs avec obligation de sécurité. Le voyageur doit être muni d'un billet composté.
Vous vous faites soigner	CONTRAT entre le MÉDECIN, le DENTISTE, l'ÉTABLISSEMENT HOSPITALIER et le malade	Le médecin, l'hôpital assurent le diagnostic et s'engagent à mettre en œuvre les moyens de la guérison. Le malade ou les assurances payent.

Impôts

Dans quelle situation devez-vous faire une déclaration de revenus aux impôts ?

Vous êtes célibataire, sans personne à charge	Vous avez moins de 18 ans, deux possibilités	• Vos parents ajoutent vos revenus aux leurs, et vous ne faites pas de déclaration. • Vos parents demandent l'imposition séparée : vous faites une déclaration.
	Vous avez 18 ans dans l'année, trois possibilités	• Vos parents ajoutent à leurs revenus ceux dont vous avez disposé jusqu'à la date anniversaire de vos 18 ans. Vous déclarez les revenus dont vous avez disposé à partir de cette date. • Vos parents demandent une imposition séparée pour les revenus dont vous avez disposé jusqu'à vos 18 ans. • Vous demandez le rattachement au foyer fiscal de vos parents pour toute l'année.
	Vous avez plus de 18 ans	• **Vous faites votre déclaration.** Toutefois, vous pouvez demander le rattachement au foyer fiscal de vos parents si vous entrez dans l'un des cas suivants : - vous avez moins de 21 ans ; - vous avez moins de 25 ans et vous êtes étudiant ; - vous effectuez votre service national.
Vous êtes célibataire, vous avez un enfant à charge		• **Vous constituez un foyer fiscal distinct de vos parents.** Toutefois vous pouvez demander le rattachement au foyer fiscal de vos parents si vous entrez dans l'un des cas suivants : - vous avez moins de 21 ans ; - vous avez moins de 25 ans et vous êtes étudiant ; - vous effectuez votre service national ; - vous êtes infirme.
Vous êtes marié, avec ou sans enfants à charge		• **Vous constituez un foyer fiscal à part.** Toutefois vous demandez le rattachement au foyer fiscal de vos parents ou des parents de votre conjoint(e) si vous ou votre conjoint(e) entrez dans l'une des situations suivantes : - moins de 21 ans ; - étudiant(e) de moins de 25 ans ; - service national ; - personne infirme.

Être locataire

Démarches	Avant la location Vous arrivez dans l'appartement	Pendant la location Vous habitez	En fin de location Vous quittez l'appartement
Contrat de location	– Vous devez exiger au moment de signer : • la copie de la dernière quittance de loyer ; • le montant réel des charges de l'année précédente ; • la copie de l'état des lieux au départ du précédent locataire ; – Demandez-les à votre propriétaire ou à l'agent immobilier (mandataire du propriétaire).	Vous relisez chaque année votre contrat qui contient les conditions d'augmentation du loyer.	– Vous prévenez votre propriétaire 3 mois avant de quitter les lieux, par lettre recommandée avec accusé de réception. – Relisez votre contrat : chapitre résiliation.
État des lieux	Vous notez par écrit l'état de l'appartement, pièce par pièce en présence du propriétaire, ou à défaut vous faites constater par un huissier. Dans ce cas, les honoraires sont à partager avec le propriétaire.	Vous devez demander à votre propriétaire l'autorisation de faire des travaux.	Vous faites un nouvel état des lieux qui sera à comparer au 1er. En cas de dégradation importante, le propriétaire peut vous demander des dédommagements.
EDF-GDF	Vous demandez l'ouverture des compteurs (délai à prévoir 4 ou 5 jours). Téléphonez à l'agence locale EDF (adresse dans l'annuaire) pour prendre rendez-vous.	Vérifiez les relevés ; en cas de facture erronée, prenez contact avec l'agence locale.	Prévenez votre agence locale pour le transfert d'abonnement (au plus tard 3 jours avant le départ). Vous téléphonez à l'agence locale pour prendre rendez-vous afin de faire fermer les compteurs.
Eau chaude	Vous avez un compteur individuel : demandez le relevé de celui-ci au syndic. Son adresse vous sera donnée par votre propriétaire.	Facilitez l'accès aux compteurs pour le relevé environ 2 fois par an.	Demandez un relevé du compteur au syndic.

Démarches	Avant la location Vous arrivez dans l'appartement	Pendant la location Vous habitez	En fin de location Vous quittez l'appartement
Téléphone	Vous demandez le branchement payant ou le rétablissement de la ligne Téléphonez à l'agence commerciale en faisant le 14. L'appel est gratuit.		Vous demandez la coupure de la ligne ou son transfert payant. Téléphonez au moins 8 jours avant et signalez votre nouvelle adresse.
Assurances	– Vous devez vous assurer obligatoirement contre « l'explosion, l'incendie, les dégâts des eaux ». – Vous pouvez vous assurer contre le vol. Consultez différentes compagnies d'assurances et choisissez.	Vous avez fait des achats importants (meubles, chaîne hi-fi, magnétoscope...) : faites augmenter le capital assuré.	– Vous faites transférer vos assurances sur le nouveau logement en donnant sa description ou – Vous résiliez le contrat en respectant le délai de préavis : relisez votre contrat dans les deux cas.
Allocation de logement ou Aide personnalisée au logement	Vous effectuez une demande auprès de la Caisse d'allocations familiales de votre domicile pour connaître la possibilité d'aides. Adressez-vous à la mairie pour avoir l'adresse.	Vous bénéficiez d'une aide : faites remplir l'attestation envoyée par la Caisse concernant le montant de votre loyer (1 fois par an).	Vous signalez à la Caisse le changement d'adresse, le nouveau loyer. Vous demandez si la prime de déménagement peut vous être versée.
Taxe d'habitation	Vous étiez locataire précédemment : vous payez pour le logement précédent. Vous devez signaler votre nouvelle adresse au Centre des impôts.		Vous aurez à payer la taxe d'habitation pour l'année en cours : signalez votre changement au Centre des impôts.

Édition : Marie-Odile Morin

Coordination artistique : Danielle Capellazzi

Illustrations et cartes : Jean-Pierre Magnier

Illustrations des pages 41, 121, 123, 143 et 145 : Nicolas Barral

Illustration de couverture : Pascal Pinet

Maquette : Primart

N° Editeur : 10030914-(III)-20-(OSBV)-80-C2000 - Octobre 1995
Imprimé en France par I.M.E. - 25110 Baume-les-Dames - N° impression : 10343